〈코로나 19〉를 이겨낸
전사들의
인터뷰

고집북스 틴즈 004
코로나 19를 이겨낸 전사들의 인터뷰

발행일 2022년 9월 1일

기 획 고은영
인터뷰어 김도현, 이솔, 김조이, 유채원, 고은성, 이채빈
그 림 강서연
편 집 고은영

펴낸곳 GOZIPbooks (고집북스)
신 고 2020년 11월 26일 (제2020-000048호)

주 소 충남 천안시 서북구 불당4로 38
이메일 savvy75@hanmail.net
인스타그램 @gozipbooks

ISBN 979-11-973089-7-0

고집북스 틴즈 004

〈코로나 19〉를 이겨낸 전사들의 인터뷰

김도현 이 솔 김조이
유채원 고은성 이채빈

이 책은 <고집북스 틴즈>의

<십대에 작가되기 프로젝트>로 기획된 책입니다.

인터뷰어들은 모두 초등학생들이고,

인터뷰이들은 우리 모두의 이웃들입니다.

수려한 작가의 문장들이 아닌 점을 미리 말씀드립니다.

다정한 눈으로 따뜻한 마음을 읽어주시길 부탁드립니다.

Contents

Part 3

인터뷰어 _ 김조이

Part 4

인터뷰어 _ 유채원

Part 5

인터뷰어 _ 고은성

Part 6

인터뷰어 _ 이채빈

the Editor’s note

답답한 마스크, 기약 없는 거리두기, 감염에 대한 불안으로
<코로나 블루>라는 말까지 나올 만큼
온 국민이 힘겨웠던 지난 2년 6개월.
사회적 거리두기가 완화되고 일상을 찾는 듯 보이지만,
보이지 않는 적과의 싸움은 왠지 끝이 날 것 같지 않습니다.

그동안 코로나19와 힘겨운 싸움을 해왔고,
그런데도 각자의 자리를 굳건히 지키며 살아가고 있는
자랑스러운 우리의 가족, 그리고 우리의 이웃,
우리는 그들을 모두 <코로나 전사>라 부르고 싶습니다.

코로나 전사들의 소중한 이야기를 하나하나 모아 책을 만들고,
우리의 목소리로 응원하는 마음을 담았습니다.
인터뷰어도 인터뷰이도 그리고 이 책을 읽는 독자도
함께 극복해 나갈 용기를 얻게 되기를 진심으로 바랍니다.

고집북스 대표 고은영

Part 1

인터뷰어 _ 김도현

2012년 7월 19일에 태어난
불무 초등학교 4학년입니다.
별명은 책벌레입니다, 또 활자 중독자입니다.
가장 좋아하는 장소는 집, 도서관, 서점이고,
역사를 좋아합니다.
좋아하는 동물은 고양이와 강아지입니다.
<해리포터> 시리즈를 매우 좋아하고 즐겨 읽습니다.
저의 꿈은 베스트셀러 작가입니다.

첫 번째 인터뷰이

안녕하세요.

천안 신불당에서 〈유노점프 음악줄넘기 학원〉을

부부가 함께 운영하고 있으며,

저는 유노점프에서 전반적인 교육지도를 맡은

정유진(30세)입니다.

저는 서울의 공공기관(학교, 체육센터, 복지관 등)에서

강사로 약 8년 정도 수업을 했습니다.

2021년 천안에 유노점프라는 줄넘기 학원을 개원하게 되었고,

이제 막 1년이 넘은 줄넘기 학원이 되었네요.

거리두기 자가격리

1. 코로나 하면 가장 먼저 떠오르는 단어는 무엇인가요? 그 이유는 무엇인가요?

<거리두기>와 <자가격리>입니다. 코로나로 인해 당연하고 평범했던 일상들의 리듬이 무너지면서 거리두기와 자가격리라는 새로운 환경에 적응해야 했기 때문입니다. 어떤 장소에 가더라도 거리두기는 일상이 되었으며, 확진자 증폭과 감염의 최소화 방안으로 시행된 자가격리는 우리 일상에서 피부로 가장 빠르게 느낀 부분이었습니다.

2. 코로나로 인해 줄넘기 학원에서는 어떤 것들이 바뀌었나요?

출입명부 작성, 1일 2회 소독, 1시간마다 환기 등 많은 부분이 바뀌었지만, 무엇보다 <마스크>를 착용한 채 운동한다는 부분에서 수업의 프로그램이 많이 바뀌었습니다. 운동의 강도를 마스크를 끼고 소화할 수 있을 정도로 수정해야 했으며, 쉬는 시간에 물도 한 명씩 마셔야 했기에 쉬는 시간을 조정하고 접촉이 있을 법한 줄넘기 활동은 전부 제외했습니다. 수업에 제약을 두어야 하는 것이 가장 아쉬웠습니다.

3. 확진자가 많이 나와서 여러 차례 학원 문을 닫았을 때 심정이 어떠셨는지 궁금해요.

코로나로 인해 처음 <휴관>을 하게 되었을 때는 확진이 된 아이에 대한 걱정이 많았습니다. 코로나는 걸리고 싶어서 걸리는 질병이 아닌데 초반에만 해도 코로나에 확진이 되면 주변 분위기가 좋지 않아서 코로나로 인한 아픔보다 주위 시선으로 인한 상처가 더 크지 않을까 하는 마음이 들었습니다.
확진 폭이 증가하면서 휴관해야 하는 상황인지 고민할 때, 매주 정책이 계속 바뀌는 상황에서 학원 휴관에 관하여 정부의 안내는 오락가락하고 지자체별로 답변도 달라서 화가 나기도 하였습니다. 휴관이라는 것이 학원을 운영하는 사람에게는 생계와 직결되는 부분인데, 애매한 정책으로 모든 책임을 학원장이 감수해야 하는 상황이 정말 힘들었던 것 같아요.

4. 코로나19 기간 가장 포기하고 싶었던 순간은 언제인가요?

포기하고 싶다는 생각보단 이런 환경을 어떤 방법으로 이겨나갈지에 대한 고민으로 지냈습니다. 주변에 많은 학원장님도 공감하시겠지만, 무엇보다 <코로나 확진자가 나온 학원이라는 낙인이 찍히면 어쩌지?> 라는 고민으로 가장 힘들었습니다. 확진자가 학원에 왔다 갔다는 사실 하나로 그 학원은 코로나 그 자체가 돼버린 듯한 시선이 따라오고, 그로 인해 실제로 문을 닫은 학원도 많았습니다. 그걸 지켜보며 저희도 아이들의 확진을 최소화하기 위해 방역 수칙을 철저히 지키고 일상생활 또한 철저히 규제하며 운영해 왔습니다. 그러면서도 확진자가 나온 학원이라는 낙인이 찍히는 순간 모든 것이 무너질 것 같은 생각이 자주 들면서 정신적으로 힘든 시간을 보냈던 적도 있었네요.

5. 그런데도 포기하지 않고 줄넘기 학원을 지켜온 가장 큰 원동력은 무엇인가요?

코로나라는 펜데믹 속에서도 아이들이 서로 해맑고 긍정적인 에너지를 주며 운동하는 모습을 보고 너무 행복해서 끝까지 지켜왔던 것 같습니다.
우리 학원에서도 확진자가 생겨서 한 타임 친구들이 전원 검사를 받고 많은 친구가 못 나왔던 적이 있습니다. 하지만 그때 음성판정을 받고 친구들이 학원에 꼭 나와야겠다고 전화가 와서 총인원 2명으로 수업을 한 기억이 납니다. 그때 그 아이들의 웃는 모습과 땀 흘리며 열정적으로 연습하는 모습을 보고 끝까지 이 자리를 지켜야겠다는 생각이 들었네요. 어린 친구들이 코로나 시대 속에서도 웃음을 잃지 않는 모습을 보니 오히려 저희가 힘이 나게 되더라고요.
아 참! 그때의 두 친구는 여전히 유노점프에서 운동하고 있답니다!

6. 코로나19가 종식되면 학원 아이들과 가장 하고 싶은 행사는 무엇인가요?

<공개수업>과 <오프라인 줄넘기대회>입니다. 공개수업을 통해 아이들의 열정적인 모습을 학부모님께 보여드리고 싶고, 아이들에게

도 실력을 뽐낼 기회를 주고 싶네요. 또한, 줄넘기 오프라인 대회에 나가면 더욱 다양한 줄넘기를 보고 느낄 수 있으니 아이들의 시야도 확장해주고 싶습니다.

7. 코로나로 인해 혹시 좋아진 부분도 있나요?

학원 운영적인 부분에서 좋아진 점은 크게 없지만, 코로나로 인해 많은 안내와 상담을 하면서 학부모님과 더 많은 소통을 하게 된 부분이 가장 좋았습니다. 또한, 아이들이 개인위생에 대한 개념을 자연스럽게 습득한 부분이 좋은 것 같습니다.

8. 코로나19 기간 가장 기억에 남는 학생의 사연을 들려주세요.

코로나 확진세가 대폭 증가하면서 농담처럼 코로나 안 걸리는 사람을 찾기 더 힘든 거 같다는 얘기가 나오기 시작했을 즈음 코로나 확진 후 완치판정을 받고 수업에 나온 친구가 기억나네요.
그 친구가 “선생님, 저는 이제 완치되어서 슈퍼면역자입니다. 걱정하지 마세요.”라며 웃으면서 말을 했는데, 주변에 있던 친구들도

“나도 슈퍼면역자야.”, “너도?! 나도!!!” 하면서 장난을 치던 기억이 납니다. 이런 환경 속에서도 아이들이 유쾌하고 명쾌한 상황을 만드는 모습을 보고 많은 걸 느꼈답니다.

9. 지금 가장 바라는 것이 있다면 무엇인가요?

무엇보다 <마스크 벗기>입니다. 아무래도 운동을 할 때 마스크를 쓰면 너무 답답합니다. 특히 요즘 같은 여름철에는 에어컨을 아무리 가동해도 많이 불편합니다. 아이들은 워낙 열이 많은데 줄넘기는 계속 뛰어야만 하는 운동이라서 땀이 비 오듯이 나고 마스크도 젖기 때문입니다. 얼른 마스크를 벗고 운동할 수 있는 날이 왔으면 좋겠어요.

10. 인터뷰어 도현과 우리 학원 학생들에게 하고 싶은 말은 무엇인가요?

저희가 수업 시간에 매일매일 하는 이야기가 있습니다. 바로 <포기하지 말자!>입니다.
줄넘기는 성공과 실패를 몸으로 빨리 느낄 수 있는 종목으로 한 동

작에 성공하기 위해 많은 연습이 필요합니다. 이때, 연습 과정을 포기하지 않는 것이 매우 중요합니다. 처음에 아이들은 몇 번 해보고 “안 돼요. 못해요.”라는 말을 자주 합니다. 그럴 때마다 저는 누구나 처음 하는 것은 잘하지 못한다, 지금은 못 하는 게 당연한 거니까 포기하지 말고 열심히 연습해보자며 아이들의 연습 과정을 도와주었습니다.
처음에는 아이들이 그 말을 믿지 않다가 많은 시행착오 끝에 성공하면 “선생님! 성공했어요!”라고 좋아하더라고요. 이런 과정을 통해 아이들은 포기하지 않는 법을 배우게 되는 것 같습니다. 그렇기에 아이들에게 꼭 말해주고 싶습니다.

“포기하지 말자! 줄넘기뿐만 아니라 세상을 나아가는 데 있어 모든 부분을 포기하지 말자!”

..............................힘내세요!!!

미래의 어느 날, 한 선한 마법사가 지구로 와서 인간들에게 해로운 모든 질병(코로나19 포함)을 제거해 주었다. 인간들은 모두 기뻐하며 축제를 열었다.

한편 천안의 유명한 <유노점프 줄넘기 학원>에서는 선생님과 학생들이 마스크를 벗고 즐겁게 운동하고 있었다. 유노 학원은 모든 클래스마다 학생들이 꽉 차서 들어가려면 대기를 걸어야 할 정도다.
학생들은 "안 돼요, 못해요."라는 말을 하지 않고 열심히 줄넘기 기술을 연습하고 있었고, 어떤 학생들은 어려운 기술에 성공해서 친구들에게 자랑했다. 또, 요즘은 코로나 이전처럼 수업이 끝나기 전에 간단한 게임을 한다.
원장님은 집에 가기 전에 다 같이 "포기하지 말자!"를 외쳤고, 몇 주 후 공개 수업과 오프라인 줄넘기대회를 한다고 하셨다.

나는 오늘도 친구들과 이야기하며 즐겁게 집으로 간다. 마스크를 벗은 친구들의 환한 미소가 참 좋다.

두 번째 인터뷰이

김민주. 나이 56세입니다.

천안에서 편의점을 운영하고 있는데

벌써 9년 차가 되었네요.

매일 바쁜 일과 속에 살고 있습니다.

1. 코로나 하면 가장 먼저 떠오르는 단어는 무엇인가요? 그 이유는 무엇인가요?

가장 먼저 <배려>라는 단어가 떠오르네요. 저희 매장에는 많은 고객이 왕래하는데요, 가끔 마스크를 쓰지 않고 들어오는 고객들이 있어요. 이렇게 감염병이 유행할 때는 서로에 대한 배려가 더 필요한 것 같아요.

2. 코로나 전과 후에 매출 또는 업무에서 어떤 점이 가장 크게 변화했나요?

아파트 단지 안에 있는 입지 점포라 매출에는 많은 변화는 없어요. 그래도 코로나가 발생한 이후, 매장 청결에 더 신경을 씁니다. 잦은 환기도 하고요. 눈에 보이지 않는 바이러스와 싸우려면 무엇보다 위생이 제일 중요한 것 같아요.

3. 코로나19가 유행할 때 가장 많이 팔린 물건은 무엇인가요? 제 생각엔 마스크나 진단 키트일 것 같은데, 그런 상품들은 많이 팔리는 만큼 힘도 드셨을 것 같아요.

다들 그렇게 생각하실 것 같네요. 하지만, 가장 많이 팔린 물건으로는 아빠들이 좋아하는 주류일 겁니다. 방역 제한 조치로 오랫동안 외식이나 모임이 불가했잖아요. 그래서 아마도 집에서 술을 드시는 분들이 많아져서 그런 것 같아요.

4. 코로나19 기간 가장 힘들었던 순간은 언제인가요?

근무 시간이 길다 보니 장시간 마스크를 착용하는 것이 제일 힘들었어요. 이제는 조금 적응이 되긴 했지만, 처음엔 답답하고, 말하기도 불편했죠. 마스크를 벗는 데 이렇게 오랜 시간이 걸릴 줄은 꿈에도 몰랐네요. 실내에서도 마스크를 벗을 수 있는 날이 빨리 왔으면 좋겠어요.

5. 힘들어도 포기하지 않고 편의점을 지켜온 원동력은 무엇인가요?

매일 찾아와 주시는 고객들 덕분입니다. 우리 편의점에는 맑고 밝은 아기 천사들이 많이 오거든요. 하원이나 하교하는 아이들의 간식 창고랍니다.

6. 혹시 코로나에 걸리신 적이 있었었요? 있으시다면 증상이 어떠셨는지 격리 기간엔 어떻게 지내셨는지 궁금합니다.

다행히 아직 걸리지는 않았네요. 매일 불안하고 걱정되지만, 항상 조심하고 있어요.

7. 코로나로 인해 혹시 좋아진 부분도 있나요?

온 나라가 함께 힘든 시간을 보내고 있으니 좋다고 할 것은 없지만, 그래도 가족과 이웃들, 그리고 개인적으로도 건강을 한 번씩 더 챙기게 되는 것은 좋은 변화인 것 같아요.

8. 가장 기억에 남는 손님의 사연이 있다면 들려주세요.

박스로 만든 카메라로 제 얼굴을 찍어서 며칠 후 정성스럽게 그린 그림을 들고 온 여자아이가 있었어요. 지금도 그 그림을 매장 안에 걸어 두었답니다.

9. 지금 가장 바라시는 것이 있다면 무엇인가요?

지금처럼 건강하게 오랫동안 일하고 싶어요.

10. 인터뷰어 도현과 편의점을 찾는 손님들에게 하고 싶은 말은 무엇인가요?

항상 우리 편의점을 이용해 주셔서 감사합니다. 편의점에 오는 모든 분께서 코로나가 완전히 종식될 때까지 서로 배려하는 마음으로 마스크 착용을 생활화했으면 합니다.

...........................힘내세요!!!

2032년, 다행히도 전 세계를 괴롭히던 코로나19는 종식되었다. 이제 연구용을 제외하고는 코로나바이러스는 지구상에서 말끔히 사라졌다.

내 단골집인 편의점 CU는 항상 사람들로 북적인다. 가장 기쁜 소식은 이제 마스크를 쓰지 않아도 된다는 것이다. 맥주를 사러 오신 아저씨들도 기분 좋게 사장님과 이야기를 나누고, 어떤 아이가 그린 사장님 그림도 벽에 걸려있다.

김민주 CU 사장님은 아직도 건강하게 웃는 얼굴로 일하고 계신다. 어라, 편의점을 살펴보는 사이 아이들이 우르르 몰려와 맛있는 간식들을 싹 다 가져가 버렸다. 에잇! 나도 그냥 사야지!

"사장님, 소떡소떡 한 개만 주세요!"

Part 2

인터뷰어 _ 이솔

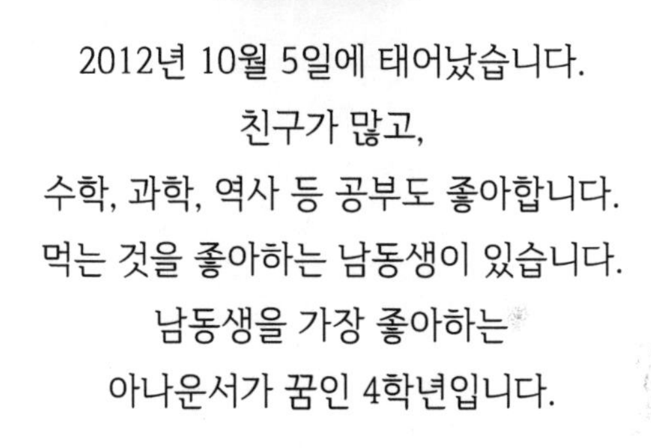

2012년 10월 5일에 태어났습니다.
친구가 많고,
수학, 과학, 역사 등 공부도 좋아합니다.
먹는 것을 좋아하는 남동생이 있습니다.
남동생을 가장 좋아하는
아나운서가 꿈인 4학년입니다.

세 번째 인터뷰이

안녕하세요.

저는 강원도 정선소방서에 근무하고 있는

20년차 구급대원 이홍재이고,

계급은 소방위입니다.

감염 보호복

1. 코로나 하면 가장 먼저 떠오르는 단어는 무엇인가요? 그 이유는 무엇인가요?

코로나가 시작된 이후로 구급대원은 누구보다도 감염관리에 철저히 신경을 쓸 수밖에 없게 되었습니다. 코로나 확진자가 아니더라도 고열, 기침, 가래 같이 유사한 증상이 있는 환자는 예방 차원에서 감염보호복을 필수로 착용하고 출동을 나갑니다. 이러한 이유로 코로나 하면 <감염보호복>이 바로 연상이 됩니다 무엇보다 감염보호복 탈착의 과정과 착용 후 답답함이 가장 큰 고충이라고 말씀드릴 수 있겠습니다.

2. 코로나에 걸린 환자분들을 구조해본 경험이 있으신가요? 기억에 남는 일을 들려주세요.

코로나 환자 이송에 있어서 구급대원이 가장 힘든 부분은 병원 선정입니다. 병원마다 격리병상은 한정되어있고, 강원도 전역에서 환자가 몰리니 구급대원이 병원을 선정하는 데 큰 어려움이 있습니다. 한 출동의 경우는 호흡곤란을 호소하는 확진 환자였는데 근처 병원에서는 격리병상이 없어 병원 5곳에 전화를 돌리고 나서야 병원 선정이 되었습니다. 선정된 병원에 가서도 비슷한 증상으로 대기하고 있는 구급차가 4대나 되었고 한참이 지나서야 입원 조치를 받을 수 있었습니다. 다행히 환자분은 회복 후 무사히 퇴원하였다고 합니다.

3. 코로나로 인해 출퇴근 시간 변경 또는 초과근무 등 업무에 대한 변화가 있었나요?

위와 같이 코로나 환자 병상 배정이 오래 걸리게 되면 퇴근 시간이

늦춰지기도 합니다. 정선은 관내 응급실에 격리병동이 1개밖에 없어서 격리병동에 다른 환자가 있으면 강릉이나 동해와 같이 편도 한 시간 이상이 걸리는 곳으로 갈 수밖에 없는 실정입니다. 환자를 병원에 이송하고 귀서하면 구급차 내부 소독까지 마쳐야 해서 가끔 정시퇴근을 못 하여 장거리 카풀하는 다른 직원들에게 불편을 끼치기도 하고, 지인과의 약속을 못 지킨 사례도 있습니다.

4. 코로나 이후에 화재진압 매뉴얼이 달라졌나요?

구급 출동은 코로나의 영향을 많이 받았지만, 화재진압의 경우 원래 공기호흡기를 착용하기에 이전과 크게 달라진 점은 없습니다. 그래도 코로나 이전과 비교하자면 현장 활동 시 관계자와의 대화 등 신경 쓰이는 것이 많아진 것은 사실입니다.

5. 소방공무원으로서 코로나 기간 가장 보람찼던 순간이 언제인가요?

구급대원이 가장 보람을 느끼는 순간은 아무래도 환자가 구급대원에게 감사 표시를 해줄 때입니다. 병원 이송부터 대기 시간까지 5

시간이 넘게 현장 활동을 한 적이 있었는데 “너무 고생하시네요. 감사합니다.” 이 한마디가 큰 위로가 되었고, 힘들지만 큰 보람과 고마움을 느꼈습니다.

6. 가장 포기하고 싶었던 순간은 언제였나요? 또 어떻게 극복하셨는지 궁금해요.

화재나 구조 상황에서 요구조자가 사망 추정의 경우 구하지 못했다는 아쉬움이 제일 큽니다. 곁에 있는 보호자에게 환자의 사망 추정 상황을 알리는 업무가 언제나 힘들고 피하고 싶은 순간이었습니다. 힘들고 포기하고 싶을 때마다 스스로 선택한 소방관의 길을 끝까지 완수하고 퇴직할 때의 당당한 제 모습에 가족들이 고생했다고 환호하는 상상을 하면서 어려움을 극복하고 있습니다.

7. 긴 시간 힘들었지만, 코로나로 인해 좋았던 순간은 없었나요?

코로나로 위급 상황 발생 시 신속하게 환자를 이송하여 생명을 지켜 보람을 느꼈습니다. 또 코로나 이전에는 구급대원들만 마스크 착용을 했는데, 코로나 이후에는 기침, 고열 환자가 마스크를 미리 착용하고 있어서 감염관리가 더 철저하게 되는 부분이 좋았습니다.

8. 소방공무원으로서 지금 가장 바라는 것은 무엇인가요?

코로나와 같은 바이러스가 또다시 발생하지 않았으면 좋겠고, 마스크 없이 아이들이 뛰어놀 수 있는 코로나 이전의 일상으로 하루빨리 돌아갔으면 좋겠습니다.

9. 사랑하는 가족들에게 하고 싶으신 말을 적어주세요.

내 삶에 있어 가족은 모든 어려움을 이겨내게 만들어 주는 백신이라고 생각합니다. 이 백신은 어떤 바이러스도 이겨낼 수 있게 해주는 최고의 명약입니다.
그리고 코로나가 끝나면 그동안 미루어 두었던 제주도 여행을 꼭 가자고 말해주고 싶습니다.

10. 인터뷰어 솔이와 이 책을 읽는 독자들에게 하고 싶은 말

은 무엇인가요?

항상 건강하게 대한민국에서 꼭 필요한 사회의 일원으로 성장하기를 바라고, 부모님 말씀 잘 듣는 착한 어린이가 되기를 바랍니다. 독자들께는 어렵거나 위급한 상황에서 항상 주변에 119가 있다는 것을 잊지 말아 주시기를 바랍니다.

..............................힘내세요!!!

내 이름은 이홍재
20년차 구급대원이지

매일 입어도
익숙하지 않은 보호복
아무리 더워도 써야 하는
마스크

환자를 구조해도
더 어려운 건
병원 선정

매일 늦어지는
퇴근 시간

아무리 포기하고
싶어도 가족이라는
유일한 백신
매일 날 응원하는
가족이란 백신

그 백신 덕분에
자신감 뿜뿜!!

함께 이겨내자
코로나란 존재

Remember
119

네 번째 인터뷰이

저는 충남 삼성고에 다니고 있고,
국어 교사가 꿈인 고등학교 2학년 석정인입니다.
1학년 때는 기숙사 생활을 했었고,
지금은 셔틀버스로 통학하고 있습니다.
맞벌이하시는 부모님과
예쁜 옷 입는 것을 좋아하는
2살 터울의 여동생이 한 명 있습니다.

온라인 수업

1. 코로나 하면 가장 먼저 떠오르는 단어는 무엇인가요? 그 이유는 무엇인가요?

<온라인 수업>이 가장 먼저 떠오릅니다. 저는 다른 학교에 비해 과제량이 많은 학교에 다니고 있습니다. 코로나로 인해 온라인 수업으로 전향되면서 온라인으로 제출해야 하는 과제가 늘어났고, 시간을 잘못 알고 제출하지 못하는 일도 여러 번 발생했습니다. 가장 많이 신경 썼던 부분이어서 그런지 온라인 수업이 가장 먼저 떠오르네요.

2. 코로나에 걸려본 적이 있으신가요? 있다면 격리 기간 어떻게 지냈는지 들려주세요.

코로나에 걸려본 적이 있습니다. 격리 기간에 온라인으로 수업에 참여했고, 두통이 심해졌을 땐 수업을 들어가지 않고 쉬며 그 기간을 보냈습니다. 일단 아파서 수업에 참여하지 못했을 때는 진도를 얼마나 나갔는지 알 수가 없었고, 인정 결석으로 처리되는 건지 몰라서 불안했습니다. 또, 마스크를 쓰더라도 밖에서 공기를 마시는 게 좋았는데, 창문을 열어도 속이 시원하지 않아서 답답했습니다. 온라인 수업이 끝난 후, 밤엔 다양한 취미생활을 하면서 답답한 마음을 풀었습니다. 예를 들어 음악프로그램으로 작사, 작곡하고, 음악을 녹음하는 등의 평소 하지 못했던 활동들을 주로 했습니다.

3. 코로나19 기간 가장 스트레스받았던 것은 무엇인가요? 고등학생이라 공부에도 지장을 주었을 것 같은데요, 공부하면서 가장 신경 썼던 점은 무엇인가요?

가장 스트레스를 받았던 것은 갑자기 늘어버린 혼자 공부하는 시간이었습니다. 함께 수업하던 환경에 익숙해져 있다가 갑자기 혼자 공부해야 하는 상황이 되자 집중력이 떨어졌습니다. 예를 들면 자습 시간에 다른 친구들과 한 공간에서 공부하면 눈치가 보여서라도 따라 공부하게 되는데, 혼자 있으면 휴대폰을 하기도 하고 딴짓하기도 해서 시간이 흐르고 나면 후회하는 일이 잦았습니다. 고치려 노력했지만, 생각보다 어렵고 힘들었던 것 같습니다. 공부하면서 가장 신경 썼던 부분은 집중력이고, 친구들과 ZOOM으로 연결해서 공부하는 분위기를 스스로 조성하려고 노력했습니다.

4. 학생 입장에서 비대면 수업과 대면 수업의 장단점은 무엇인가요?

우선 비대면 수업은 학교보다 편한 공간에서 공부할 수 있고, 저처럼 멀리 있는 학교에 다니는 학생들의 이동시간이 감소한다는 장점이 있지만, 대면 수업에 비해 집중력이 떨어진다는 단점이 있습니다.
대면 수업은 공부를 할 수 있도록 최적화된 공간에서 함께 공부할 수 있고, 다양한 활동형 수업을 할 수 있다는 장점이 있지만, 학생들과 함께 공부하는 만큼 주변 분위기에 휩쓸릴 수 있다는 점과 통학 거리가 먼 학생들은 이동시간이 길어서 체력적으로 힘들 수 있다는 단점이 있습니다.

5. 코로나 시대에 고등학생으로 지내면서 가장 아쉬운 점은 무엇인가요?

체육대회와 같은 단체 활동을 하지 못한 점입니다. 우리 학교는 수학여행이나 현장 체험학습과 같은 활동이 없고 유일하게 있는 것이 체육대회입니다. 하지만 코로나19가 발생하고 그마저도 취소가 되어버린 것이 가장 아쉽습니다. 또, 시험이 끝난 후에 하는 반 단합을 위한 행사도 코로나 이전에는 맛있는 음식을 먹으면서 했지만, 지금은 음식은 물론 행사 자체를 해도 좋을지 눈치를 보는 상황입니다. 고등학생 때만 만들 수 있는 추억을 간직할 수 있도록 즐거운 분위기에서 친구들과 여러 가지 활동들을 가장 하고 싶습니다.

6. 긴 시간 힘들었지만, 코로나로 인해 좋았던 순간은 없었나요?

있었습니다. 평소에는 하지 못했던 취미(작사, 작곡, 헌법 책 읽어보기 등)를 가질 수 있었고, 불편했던 기숙사 생활을 잠시 멈추고 편안한 집에서 공부하고 쉴 수 있었습니다. 또, 학교 다니면서는 중요했던 친구들과의 관계에 많은 신경을 쓰지 않아도 되었습니다. 마지막으로는 모닝 스파크(2021년까지 1학년은 필수로 매일 아침

6시 30분에 일어나 7시 30분까지 운동을 해야 했습니다.)를 쉬었습니다! 매일 아침 하던 힘든 운동을 쉬거나 온라인으로 바꾸면서 강도가 낮아졌습니다. 덕분에 새벽에 일찍 일어나 씻어야 하는 귀찮음도 사라졌습니다.

7. 학생으로서 지금 가장 바라는 것은 무엇인가요?

코로나가 더는 확산되지 않는 것입니다. 코로나가 확산이 되면서 많은 활동이 중단되고, 많은 수업은 그 방식이 바뀌었습니다. 혼자 공부해야 하는 시간이 늘면서 많이 외롭기도 했고, 공부가 잘되지 않아서 방황하기도 했습니다. 코로나가 종식되면 졸업하기 전 친구들과 더 많은 활동을 하면서 좋은 경험과 추억을 만들고 싶습니다. 학교에 바라는 점은 코로나가 조금만 더 줄어들게 되면 없어졌던 체육대회를 다시 하는 것입니다. 원래도 얼마 없던 활동들이 사라지면서 학교에서 단합하는 것이 아예 없어졌고, 매년 찍었던 웃고 있는 단체 사진이 작년 것만 없어서 매우 아쉽다고 생각합니다.

8. 코로나19 기간 가장 감사한 분들이 있다면 어떤 분들일까요?

의료진과 선생님들입니다. 코로나가 빠르게 종식에 가까워지고 있는 것은 의료진 덕분이라고 생각하고, 이런 갑작스러운 상황에도 선생님들께서 학생들을 위해 다양한 수업방식을 동원해 힘쓰셨다고 생각하기 때문입니다.

개인적으로는 부모님께 가장 감사드립니다. 격리 기간에 방에만 있었어야 했기에 부모님께서 매 끼니 음식을 해서 넣어주셨지만, 저는 집안일을 전혀 도울 수 없었기 때문입니다. 저 때문에 출근하지 못하는 상황도 생겼고, 약까지 대신 받아 주시면서 많이 고생하셨습니다.

9. 인터뷰어 솔이와 이 책을 읽는 독자들에게 하고 싶은 말은 무엇인가요?

각자의 자리에서 다른 방법으로 코로나를 이겨내고 있으리라고 생각합니다. 코로나를 함께 이겨내고 있는 사람들의 이야기를 담아 기록으로 남기려는 인터뷰어께도 감사하다는 말을 전하고 싶습니다. 머지않아 코로나 때문에 겪었던 많은 어려움이 코로나 종식과 함께 사라질 거로 생각합니다. 모두 힘내셨으면 좋겠습니다.

..............................힘내세요!!!

Yeah! 내 이름은 석정인!

가야 하는 학교

가지 못하는 학교

코로나로 인한 Zoom 수up!

코로나 때문에

하지 못한 활동도 up!

격리 해야 해 답답한 심정

갑자기 up 돼버린

혼자 공부하는 시간

노력해도 딴짓하는

시간만 upup

내가 바라는 것은 단 하나

코로나가 down 되는 것

체육대회, 단합대회

go go go

코로나 19! GO OUT!!!

고집북스 틴즈 . 53

다섯 번째 인터뷰이

저의 이름은 김은희이고,

〈장영실 서점〉을 운영하고 있습니다.

제 나이는 60세이고,

자녀는 31세, 29세 딸 둘, 그리고 남편이 있습니다.

아이들을 좋아하고,

여행, 친구들과 놀기, 책 읽기를 좋아합니다.

아직도 읽고 싶은 책이 많이 있습니다.

저의 꿈은 영어를 잘하는 것입니다.

그래서 영어 공부를 시작했고,

영어원서로 소설 읽기를 시작했습니다.

1. 코로나 하면 가장 먼저 떠오르는 단어는 무엇인가요? 그 이유는 무엇인가요?

떠오르는 단어는 <멈춤>입니다. 잠시일 거라 생각했던 코로나가 3년이나 흘러갔네요. 멈추면 안 되는 것들, 특히 학생들의 공부나 작은 가게들의 평범한 일상이 멈추어져서 안타까웠습니다.

2. 코로나에 걸린 환자가 서점에 다녀갔거나 코로나에 걸렸던 경험이 있으신가요? 기억에 남는 일을 들려주세요.

다행히도 저는 코로나에 걸리지도 않았고, 서점에 다녀간 고객도 없어요. 하지만 가족 4명 중 2명이 코로나에 걸려 각 방에 분리해서 생활했던 기억이 납니다. 같은 집에 있어도 함께 식사도 대화도 못 하고, 바이러스에 감염될까 봐 서로 멀리해야 했던 상황에 마음이 아팠습니다.

3. 코로나로 인해 서점 운영에 어떤 변화가 있었나요?

우리 서점은 종합서점이라 학습물이 많습니다. 매출 대부분은 학습물이 차지하는데, 학생들이 학교를 안 가고 공부를 안 하니 문제집을 사지 않지요. 그래서 매출이 많이 떨어졌습니다.

4. 코로나19 기간 가장 많이 신경 쓰셨던 부분은 어떤 부분인가요?

가장 많이 신경 쓴 부분은 내부 환기와 소독이었습니다. 그래도 적지만 책을 사는 고객들이 있어서 매일 책등에 소독제를 뿌리고 청소했습니다. 그래서 무사히 아무 일 없이 코로나 기간을 잘 보낼 수 있었던 것 같습니다.

5. 코로나로 인해 가장 힘들었던 순간이 언제인가요? 또 어떻게 극복하셨는지 궁금해요.

가장 힘들었던 순간은 코로나 기간이 길어지고 매출이 적으니 서점을 계속 유지를 할 수 있을지 걱정했을 때입니다. 국가에서 지원금이 나왔고, 또 지역 도서관과 학교 도서관에 도서 납품이 있어서 무사히 극복할 수 있었습니다.

6. 코로나19 기간에도 좋았던 순간이나 특별히 감사한 마음을 전하실 분이 있으신가요?

좋았던 순간은 고객이 없어 한가하고 무료하지만, 그 시간에 읽고 싶은 책들을 보며 육체의 피로를 풀 수 있는 휴식을 가졌을 때입니다. 매일 바쁘게 살다가 한가한 시간이 생기니 나름대로 좋았습니다.

7. 거리 두기가 완화된 지금 장영실 서점에서는 어떤 행복

한 일들을 계획하고 계시는지요?

요즘 <장영실서점>에서는 문화체육관광부와 한국 작가회의에서 주관하는"작가와 함께하는 프로그램"을 4월부터 10월까지 진행 중입니다. 지역주민들을 위한 다양한 프로그램들이 있어서 진행하는 동안 행복하고 즐겁게 지내고 있습니다.
이번 행사가 끝나면 새로운 프로그램을 모색해 볼 것입니다.

8. 항상 열정을 다해 서점을 운영하시는 대표님의 인생 책은 무엇인지 소개해주세요.

첫 번째로는 몇 년 전에 읽었던 <숨결이 바람 될 때>입니다. 암 판정받은 젊은 시한부 의사의 마지막 아름다운 인생 이야기로 본인이 하던 일들을 최선을 다하고 죽음을 맞이한다는 실화입니다.
두 번째로는 최근에 읽었던 <체리토마토 파이>입니다. 90세인 어느 프랑스 할머니의 1년 동안의 일기인데, 주인공은 가급적 사회의 짐이 되지 않기 위해 노력합니다. 예를 들면 집안일을 해줄 사람을 들여 일자리를 만들어주거나 기부금을 냅니다. 이 책에서 중요한 것은 반복적인 삶(좋은 생활 습관)이 노년을 행복하고 지루하지 않게 살 수 있게 해준다는 내용입니다.

저에게 적용해 생각해보면 규칙적인 산책과 운동, 꾸준히 독서하기, 독서 모임 가기, 영어 공부하기, 교회 가기, 여행하기 등을 유지하는 것이 행복한 삶을 사는 것입니다.
두 권의 책을 통해 하던 일을 할 수 있을 때까지 최선을 다하고, 좋은 생활 습관을 유지하는 것이 중요하다는 것을 다시 한번 깨달았습니다.

9. 서점 대표님으로서 지금 가장 바라는 것은 무엇인가요?

요즘 기존서점이 많이 없어지고 예쁘고 작은 서점들이 생겨났다가 유지하기 힘들어 없어지곤 합니다. 지역 서점을 많이 이용해 주셨으면 하는 바람입니다.

10. 인터뷰어 솔이와 이 책을 읽는 독자들에게 하고 싶으신 말을 써주세요.

특히 학생들이 많은 책을 접했으면 합니다. 작가들은 책 한 권을 내기 위해 전문가 수준으로 공부하고 연구하여 책을 출간합니다. 지식을 쌓는 것은 책상 앞에서 학교 공부도 중요하지만, 경험도 중요합니다. 직접경험을 다 할 수 없으니 간접경험이라도 해야 합니다. 그 간접경험이 바로 독서입니다. 작가들이 공부한 중요한 부분을 책으로 출간하니 독서는 아주 좋은 경험입니다. 독서를 하면 지식과 지혜, 진리 많은 것을 얻을 수 있습니다.

··························힘내세요!!!

Yo!!!
내 이름은 김은희
장영실 서점 대표지

계속 떠오르는 단어 하나
stop!!!

잠시일 거라 생각했어
코로나로 stop한 것들
stop하면 안 되는 것들
계속해서 불안함은
up up up

코로나로 인해
공부를 못 하는 학생들
문제집을 안 사는 학생들
계속해서 매출은
down down dwon

매일매일 신경 쓰지
소독과 환기

그래do
잠시 생긴 휴식
나는 매일 책을 읽지

학생들do 읽어야지
수많은 책들
지식, 지혜, 진리, 경험

Yo!!!
내 이름은 김은희
장영실 서점 대표지

지역 서점 응원해
Don't stop this!!!

Part 3

인터뷰어 _ 김조이

2011년 12월 18일
충청남도 천안에서 태어났습니다.
피아니스트가 꿈이며
2022년 한국예술종합대학 영재원에 합격하였습니다.
피아노 치는 것을 좋아하고, 음악을 사랑합니다.
공부하는 것을 좋아하며
책 읽는 것이 취미입니다.

여섯 번째 인터뷰이

바리톤 박경준 성악가입니다.

나이는 49세이고요.

대학에서 성악을 전공하고,

졸업 후 이탈리아로 유학 가서 7년 정도

국립음악원과 사립 아카데미 등에서

성악, 오페라 연기, 합창 지휘 등을 공부하고,

귀국 후, 대학에서 학생들을 지도하고 있습니다,

합창단 지휘도 하고, 오페라나 성악 무대에서 노래도 하고,

다른 성악가들과 함께 공연을 만들어서

많은 분을 힐링하게 하는 일을 하고 있습니다.

단절

1. 코로나 하면 가장 먼저 떠오르는 단어는 무엇인가요? 그 이유는 무엇인가요?

코로나 하면 무대에 서서 노래도 못하고, 수업들도 줌이나 비대면으로만 해야 했고, 많은 일정이 취소되었던 일들이 생각납니다. 그래서 제일 먼저 세상과의 <단절>이라는 단어가 떠오릅니다. 다른 분야보다도 성악가들은 비말 문제로 더욱더 힘들었거든요.

2. 거리두기 시행으로 계획했던 공연이 취소된 적이 있었나요? 그때의 이야기들을 들려주세요.

생각하기도 싫은 일들이네요. 출연하기로 했던 공연도 많이 취소되었지만, 아예 공연 공모나 오디션 자체가 사라져서 정말 힘들었어요. <마포 구립 소년합창단> 정기연주에 초청받았었는데, 두 번 정도 연주일이 미뤄지다 결국 취소되었어요.

3. 거리두기 기간 팬들과의 소통을 어떻게 하셨나요? 또 비대면도 해보셨나요? 만약 해보셨다면 대면 공연과 비대면 공연은 어떤 차이가 있을까요?

팬이 많지는 않지만, 주로 카톡이나 페이스북으로 연락했고요, 비대면 공연도 몇 번 해 보았는데, 확실히 관중이 없으니 힘이 덜 나더군요.
비대면 공연도 라이브인지 녹화 공연인지에 따라 조금 다른데, 라이브는 실제 공연과 같이 진행되니 긴장감이 있어서 좋고, 단점은 카메라나 마이크의 영향을 많이 받는다는 거예요.
녹화 공연은 혹시 맘에 안 들거나 틀리면 다시 할 수 있다는 점이 장점이지만, 긴장감이 많이 떨어져요.

4. 혹시 코로나에 걸린 적이 있었나요? 성악가로서 너무 힘드셨을 것 같은데, 지금은 예전처럼 컨디션이 회복되신 건지 궁금해요.

올해 2월에 걸렸었는데, 말소리도 나오지 않고, 목이 아주 아팠어요. 현재는 다행히 후유증 없이 완전히 회복되었고요.

5. 코로나 이후 가장 달라진 점은 무엇인가요? 저는 마스크를 쓰고 말하는 것도 너무 답답한데 혹시 마스크를 쓰고 노래를 해보신 적도 있나요?

가장 달라진 것은 매사에 더욱 조심스러워졌다는 거예요, 개인위생에 더욱 신경 쓰게 되었고요. 성악을 할 때는 본 무대에서는 마스크를 벗고 하지만, 총연습까지는 쓰고 했어요. 그리고 노래가 아닌 지휘를 할 때는 처음에는 계속 쓰고 했는데, 숨을 쉴 때 지휘자가 입 모양으로 같이 숨을 쉬면서 음악을 지도해야 하는 게 어려워서 현재는 마스크를 벗고 해요.

6. 코로나가 완전히 끝나는 날이 오면 제일 먼저 하고 싶은

것은 무엇인가요?

많은 음악가와 함께 많은 관객 앞에서 마스크 없이 마음껏 공연하고 싶어요. 그런 날이 곧 오겠지요?

7. 코로나로 인해 개인적으로 가장 힘들었던 때는 언제였나요?

지금이 가장 힘들어요. 혹시나 다시 새로운 감염병이 와서, 모든 공연이 취소되고 성악 활동이 멈출까 봐 많이 불안해요. 실제로 많은 후배와 제자들이 코로나 기간 음악을 포기했고, 현재도 다른 일을 하고 있거든요.

8. 코로나로 인해 혹시 좋은 점도 있었나요? 있다면 무엇인가요?

코로나로 인해 마스크와 손 소독을 자주 하니 2년 동안 감기에 한 번도 걸리지 않았다는 점은 좋은 것 같네요. 그래도 코로나는 정말 싫어요.

9. 지금 가장 바라는 것이 있다면 무엇인가요?

오랫동안 많은 사람 앞에 서는 성악가가 되고 싶고, 후배와 제자들에게 도움을 주는 사람이 되고 싶습니다.

10. 피아니스트가 꿈인 인터뷰어 조이와 예술가를 꿈꾸는 우리 청소년들에게 해주고 싶은 말은 무엇인가요?

예술은 무엇보다 본인이 기뻐야 합니다. 본인이 하는 예술 활동에 다른 어떤 이유보다도 이것을 할 때 무엇보다도 내가 최고로 기쁘다는 확신이 있으면 좋겠습니다.
많이 힘든 시험이나 오디션, 콩쿠르에서 입상하는 것도 중요하지만 순수한 예술가의 기쁨을 맛보는 사람이 되세요!

..............................힘내세요!!!

yeah!
나는 바리톤 박경준
성악을 전공하지

유학 가서 7년
열심히 공부했지yo
내가 하는 일
많은 분을 힐링하게 해

코로나는 나한테 큰 지침 ho!
무대에서 노래 못하지
수업들도 비대면
비말 문제 너무나 힘들었지

공연이 취소된 적도
너무나도 많지yo
연주에 초청받아도
취소되면 stress

fan들과의 소통도

페이스북 카톡

다 비대면 boo

비대면 공연은

관중 없지

마음에 뿌듯함 없지yo

코로나 걸린 적도 있었지 hey!

말소리no

목 아픔yes

그래do 후유증 없이 회복 yeah!

공연 할 때의 불편함은

on in on

마스크 벗고 싶지

지휘자는 입 모양이 중요해

마스크 끼고 지도하는 건

no no no!

지금이 제일 힘들어
because 다른 감염병 생기면
성악 활동 stop stop stop
너무너무 불안해yo
코로나 때문에
음악 포기한 제자들
so so sad

코로나가 끝나는 순간
마스크 없이 공연하는 것은
나의 행복

바라는 것은
오랫동안 무대에 서는
성악가 hey!
후배들에게
제자들에게
항상 도움이 되는 성악가

일곱 번째 인터뷰이

안녕하세요.

저는 보건소에서 근무하고 있는

임상심리사 장수정이라고 합니다.

마스크
비대면

1. 코로나 하면 가장 먼저 떠오르는 단어는 무엇인가요? 그 이유는 무엇인가요?

코로나 하면 <마스크>, <비대면> 이런 단어가 가장 먼저 떠오르는 거 같아요. 일상에서 가장 피부로 느껴지는 변화니까요. 어디서든 마스크를 쓰고, 사람들과 거리를 두고, 대면으로 하던 업무나 교육 등을 모두 온라인으로 하게 되는 경우가 많아서 그런 것 같아요. 그러고 보니 일상이 통째로 바뀐 것 같네요.

2. 코로나19가 유행하면서 보건소에서 주로 하셨던 일은 어떤 일들이 있나요?

코로나19 관련 감염병 대응 관리를 하고 있습니다. 코로나 선별진료소 운영, 코로나 환자 치료 관리, 코로나 백신 관리 및 예방접종 업무 등을 하고 있습니다.

3. 환자들을 제일 가까이서 만나시는데 제 생각엔 아주 무서우셨을 것 같아요. 코로나 발생 이후 힘든 부분은 어떤 것인지 궁금해요.

코로나 발생 이후 코로나 관련 업무가 새로 생겨나면서 업무적으로 과부하가 생기고, 매일 코로나 관련 업무에 투입되기 때문에 항상 코로나 감염에 노출된 환경에서 근무하고 있습니다.

4. 코로나19 기간 가장 기억에 힘들었던 일이 있다면 들려주세요.

주말에도 잦은 출근을 하기 때문에 이전 보다 업무시간이 늘어나서 몸도 마음도 많이 지친 상태입니다. 또한 코로나 감염위험에 매일 노출되기 때문에 늘 방호복을 입고 일하다 보면 체력소모가 커서 많이 힘이 듭니다. 더운 여름에 방호복을 입고 선별진료소에서 하루 천명 가까이 오는 분들을 안내하면서 체력적으로 더 많이 지쳤던 것 같아요.

5. 너무 힘들었지만, 2년이 넘는 긴 시간을 인내하면서 일을 포기하지 않은 이유는 무엇인가요?

보건소 직원으로서 코로나라는 상황에 당연히 할 수밖에 없는 일이고, 힘들다고 해서 피할 수는 없다고 생각합니다. 이 시간을 잘 견뎌내면 언젠가는 모두가 더 좋은 날이 올 것이라는 마음으로 힘들더라도 긍정적인 생각으로 업무에 임하려고 합니다.

6. 코로나로 인해 우울하고 힘든 분들이 너무 많은데 코로나19를 이겨내는 나만의 방법이 있다면 소개해주세요.

아무래도 감염병을 이겨내기 위해서 일상에서 기본적인 방역 수칙을 지키려고 노력합니다. 마스크를 착용하고 손을 자주 씻습니다.

그리고 면역력을 강화하기 위해서 가능하면 충분히 잠을 자고, 면역에 도움이 되는 비타민 종류를 챙겨 먹으면 좋습니다.

7. 코로나가 완전히 끝나는 날이 올까요? 그렇다면 예전의 업무로 돌아갈 수 있을까요?

현재 조금씩 예전에 업무를 회복하기 위해 보건소도 준비하고 있고, 우리 일상도 조금씩 회복되고 있음을 느끼고 있기 때문에 충분히 가능하다고 생각합니다.

8. 힘든 만큼 보람도 있었을 것 같은데, 혹시 특별한 기억이 있으신가요?

특별한 일이 있다기보다는 힘들지만 내가 하는 일이 조금이라도 코로나라는 상황을 극복에 나가는 것에 보탬이 되었다는 사실에 큰 보람을 느낍니다.

9. 인터뷰어 조이와 이 책을 읽는 독자들에게 해주고 싶은

말은 무엇인가요?

코로나가 재유행하고 있지만, 너무 불안해하기보다는 방역 수칙을 잘 지키고 본인의 일상을 잘 지켜나가면서 건강하게 코로나 시기를 잘 이겨냈으면 좋겠습니다.

..............................힘내세요!!!

난 임상심리사 장수정

항상 코로나 생각하며
머리에 아른거리는 건
마스크
거리두기
비대면이지

내가 열심히 하는 일은
진료소 운영
환자 치료
예방접종이지

코로나 업무 go
매일 감염에 노출 go
난 항상 지친 상태지

내가 너무 싫어하는 것

방호복 yo

여름에 방호복

너무 더워 지치지

하지만

코로나

코로나

힘들지만

당연히 일을 해야지

내가 힘들더라do

나의 긍정이

나를 돕지yo

언젠가는 모두에게
좋은 날이 올테니 yeah!
코로na 이겨내는 법
지금부터 나를 따라 해

방역수칙 지키go
마스크 쓰go
면역력 강화
충분히 잠을 자go
비타민 챙겨먹go
매우 중요해 yo

나로 인해
코로나를 극복할 수 있어
I'm so happy!!!

여덟 번째 인터뷰이

안녕하세요.

저는 피아니스트이며 교육자인 양재웅입니다.

다른 피아니스트들보다 조금은 늦게 음악을 시작했지만,

피아노를 사랑하고 음악을 좋아해서

또래보다 조금 일찍 유학길에 오를 수 있었어요.

모차르트의 고향인 오스트리아에서

잘츠부르크 모차르테움 국립음대를 졸업하고,

〈Mag. art.〉 라는 오스트리아 최고 학위를 취득했습니다.

귀국 후에 현재까지 피아니스트로 활동 중이며

〈앙상블 람〉이란 실내악 단체에서

앙상블 리더로 활동하고 있고,

성결대학교 피아노 전공 겸임교수로 재직하면서

예술 중, 고등학교에서도

후학을 양성하며 음악 활동을 하고 있습니다.

STOP

1. 코로나 하면 가장 먼저 떠오르는 단어는 무엇인가요? 그 이유는 무엇인가요?

제가 생각하는 코로나는 <Stop>인 것 같아요. 코로나 사태가 이렇게 장기화하면서 특히 음악계에서는 무관중 음악회라는 관객과 소통도 제대로 할 수 없는 상황도 생겼으며, 연주자들은 관객들과 함께하는 연주회를 기대하며 무기한 연기한 적도 있어요. 모든 공연계가 어느 한 시점을 계기로 모든 것들이 멈춰야만 하는 사태가 있었기에 <멈춤>이란 단어가 제일 먼저 떠오르네요.

2. 거리두기 시행으로 계획했던 공연이 취소된 적이 있나요? 그때의 이야기들을 들려주세요.

연주회를 계획하고 프로그램도 알차게 구성하고 연습 중이었는데, 코로나 사태가 악화되었을 시점에 독주회와 여러 연주회가 예정되어 있었습니다. 하지만 연주자들에게 관객이 없는 연주회는 정말로 상상도 할 수 없을 만큼 힘들고 납득이 안 되는 상황이지요. 연주회란 연주자와 관객들 사이에 소통이 있고 감정을 서로 교감하며 그 감동의 순간을 같이 하는 것으로 생각합니다. 그런데 연주자는 있지만 관객이 없는 연주라니요. 소통도 없고 감동도 줄 수 없는 연주회를 상상할 수 없어서 몇몇 연주회는 취소해야만 했고, 독주회와 실내악 연주는 무기한 연기를 할 수밖에 없었습니다. 연주자들이 피땀을 흘리며 정성스럽게 준비한 연주를 할 수 없다는 것이 참 슬프고 힘든 상황이었지요.

3. 코로나가 유행할 때 팬들과의 소통을 어떻게 하셨나요? 비대면 공연도 해보셨는지 궁금해요.

제 개인적인 생각으로 연주회는 연주자와 관객이 한 공간에 모여 같은 감정과 같은 호흡으로 음악을 느끼고 같이 공감하는 것이라고 생각합니다. 그런데 온라인으로 한 공연은 관객들은 유튜브나 다른 매체를 통해서 연주회는 볼 수 있겠지만, 한 공간에 연주자와 같은 호흡을 하며 그 긴장감을 같이 누릴 수 없다는 것이 가장 큰 문제였지요. 한 번 시도를 해 보았지만, 연주자로서 관객들의 분위기를 느낄 수 없다는 것은 참으로 힘든 일이었습니다. 그래서 지금은 관객들과 함께 할 수 있는 음악회를 기다리며 온라인 음악회는 계획하고 있지 않습니다.

4. 학생들을 가르치시는 일도 하고 계시는데 코로나 기간 수업은 어떻게 진행하셨나요?

코로나 기간이라고 해도 학생들과의 수업은 정말로 코로나 기간 전과 많이 달라진 부분은 없었던 것 같아요. 우선 1:1이라는 수업 방식이었기에 서로 위생과 소독 등 코로나에 걸리지 않도록 더 신경을 많이 썼어요. 특히 마스크를 착용하고 수업을 진행하니까 오히려 코로나 시작 전보다 더 위생과 감염에 신경을 쓸 수 있었고, 더 안심할 수 있었어요.

5. 코로나로 인해 가장 힘들었던 때는 언제였나요?

우선 연주자가 연주할 수 없는 상황이었기에 무대가 그리웠고, 관객들과의 공감이 제일 그리웠지요. 하루빨리 상황이 좋아져서 준비하고 있는 음악회 프로젝트를 관객들과 함께 누리고 싶은 마음뿐입니다.
그리고 음악을 사랑하고 피아노를 좋아해서 피아노를 전공하려던 학생들이 코로나로 인한 경제적 문제로 어쩔 수 없이 음악인으로 걸어가야 할 자신의 미래를 바꾸기도 합니다. 음악인으로 성장하고 싶은 마음을 접고 음악 자체를 관두는 학생들이 있어 선생으로 마음이 아프고 너무 안타까웠던 적이 몇 번 있었습니다.
사실 코로나로 가장 힘들었던 때는 지금까지 항상 그런 것 같아요. 내일이란 미래가 다가오면 나아지려나 하는 기대감도 이젠 많이 사라지고, 선생으로서 또 피아니스트로서 내일을 소망할 수 없다는 지금, 이 현실이 가장 힘든 것 같네요. 오늘이 힘들고 아마도 내일이면 더 힘들겠지요?

6. 코로나가 완전히 끝나는 날이 오면 제일 먼저 하고 싶은 것은 무엇인가요?

우선 연주자로서는 그동안 준비해왔던 음악회를 관객들과 함께하고 싶고, 수업 시간에 제 학생들과 마스크 없이 서로 얼굴을 보며

환하게 웃으며 노래하고 싶네요.

7. 코로나로 인해 혹시 좋은 점도 있었나요? 있다면 무엇인가요?

코로나로 인해서 좋은 점은 우선 피아니스트로 그동안 연주하고 싶었던 프로젝트와 시리즈 연주회를 구상하고 개인적으로 연습할 수 있는 시간이 많아져 오히려 더 피아노에 집중할 수 있었던 것입니다. 다시 초심으로 돌아가서 음악을 대하는 마음이 조금은 달라진 것 같아요.
교육자로 연주자로 두 가지 일을 병행하다 보면 항상 두 가지 중에 하나가 부족하기 마련인데, 연주회가 거의 없다보니 피아니스트로서는 개인적으로 많은 연주 프로그램에 대한 기획과 공부를 할 수 있었고, 새로운 프로젝트를 구상하며 연습에 집중하고 많은 레파토리를 준비할 수 있는 좋은 시간이었어요.
그리고 교육자로서는 오히려 학생들에게 집중할 수 있어서 기초가 부족한 학생들부터 다시 실력을 다질 수 있는 시간들을 가질 수 있었고, 학생들 또한 그 부분에 대해서는 모두 만족하고 다시 초심으로 돌아와 더 새로운 마음으로 음악을 대하고 공부할 수 있어서 좋다고 했습니다. 저도 맞춤식 교육으로 그동안 학교와 학원으로 잃을 수 없었던 음악도서 뿐 아니라 다른 책들도 추천해 주며 학생들에게 연습과 음악에 대한 동기부여를 해 줄 수 있는 시간이 되어서 학생들 모두가 그런 부분에 대해서는 정말로 만족하고 있습니다.

8. 공연예술가로서 또는 개인적으로 지금 가장 바라는 것이 있다면 무엇인가요?

가장 바라는 것이라면 다시 음악인으로 살아가고 싶다는 거예요. 설 수 있는 무대가 있다면 그게 어디든지 그리고 언제든지 감사하는 마음으로 연주회를 준비하고 최선을 다해서 관객들과 소통하고 감동을 주는 음악인이 되고 싶네요.
그리고 교육자로서도 학생들에게 더 집중하고 학생들에게 음악인으로서 희망과 꿈을 심어 주고 같이 그 꿈을 이루어갈 수 있는 선생님이 되길 소망합니다.

9. 저는 지금 피아니스트를 꿈꾸면서 열심히 연습하고 있어요. 연습 과정이 가끔 힘들기도 한데, 교수님은 어떻게 포기하지 않고 꿈을 이루셨는지 알고 싶어요.

연습이라는 단어가 주는 중압감은 음악인들에게는 너무 크죠. 그래서 저도 유학중에 많은 시행착오를 경험하고 낙담하고 실망할 때도 있었어요. 그런데 어느 날 내가 왜 연습을 하는지, 무엇을 위해서 연습하는지, 그리고 연습이 단순히 시간으로만 그 결과를 봐야 하는지, 그리고 몇 시간을 해야 내가 만족할 수 있는지, 왜 연습만 하면 겁도 나고 실력이 좋아지기는 하는건지, 스스로가 지금 맞게 연습하고 있는지 등 연습에 대한 기본적인 많은 고민을 했어요.

그 때 저희 교수님께서 일주일이란 시간을 주시고 그 문제에 대한 답을 한 번 스스로 찾아보라고 하셨지요. 그 때 저는 스스로에게 질문을 던지고 내가 피아노와 일주일 정도는 떨어져서 생각하게 되었어요. 일주일이 다 되어갈 무렵 피아노가 너무 그립고 음악이 더 좋아지는 걸 느끼면서 깨달음을 얻은 게 있어요. 연습이라는 것을 내가 무조건 해야만 하는 것이라 생각하고, 무한 반복을 하며 잘못 연습하고 잘못 생각하고 있는 나 자신을 발견했지요.

그 때 저희 교수님께서 일주일에 우린 2시간을 보지만, 나머지 6일 하고 22시간은 너 자신에게 달려 있다라는 말씀을 하신게 생각나더라고요. 그러면서 내가 그 때야 알게 된 사실이 연습은 무한반복도 아니고 몇시간 이상을 해야만 하는 것도 아니고 누가 하라고 해서 하는 것도 아니라는 생각이 들면서 나 스스로에게 레슨을 하는 시간이라는 것을 알게 되었지요.

그 때까지는 아마도 우리 교수님을 너무 의지하고 그 분이 하라는 것만 해와서 발전도 없고, 교수님도 저 때문에 많이 힘들어 하셨거든요. 그런데 <연습은 나를 위한 또 하나의 레슨이다> 라는 생각을 하고 나니 그렇게 지루하고 짜증까지 났던 연습 시간은 정말로 어떻게 지나갔는지 모르게 시간이 빨리가고, 나 자신이 느끼기에도 몇주안에 많은 발전을 하고 있는 모습을 보게 되었지요.
그 때부터는 연습이 늘 즐겁지는 않지만 그래도 피아노 앞에 앉을 때 마음가짐이 달라지고 더 진중해지고 집중하게 되었어요. 그 안에서 음악뿐 아니라 여러 가지에 대한 호기심이 생기면서 공부하고 있는 모든 곡들이 너무너무 재미있었어요. 흥미있는 다른 것들을 보게 되면서 책도 많이 읽고, 어떤 작곡가가 어떤 소설을 보고 감동받아서 그 곡을 썼다하면 무슨 수를 써서라도 그 책을 읽었죠. 그 작곡가와 소통을 할 수 있는 방법을 찾았다는 기쁨에 책을 읽는 시간들이 너무 소중해졌답니다.
이야기가 길어졌네요. 정리를 하자면, <연습은 나 스스로에게 해주는 완벽한 레슨이다.> 라는 말을 해주고 싶어요.

10. 인터뷰어 조이와 예술가를 꿈꾸는 우리 청소년들에게 해주고 싶은 말은 무엇인가요?

음악인으로 가는 길은 쉬운 길은 아닙니다. <음악하는 사람은 신의

축복을 받음과 동시에 저주도 받았다.>는 말이 있어요. 어떻게 보면 남들보다 몇배는 더 힘들고 더 외롭고 더 고통스러운 길일 수도 있습니다. 하지만 어떤 부분에서 보면 가장 아름답고 내가 하고자 하는 길이기에 더 편하게 갈 수도 있는 길이지요.

한문으로 음악이 어떤 뜻인지 알고 있지요? <음 음>, <즐거울 악>이지요. 음악은 노력하는 것도 매우 중요하지만, 즐기면서 하는게 진정한 음악인 것 같아요. 당장 내일이 레슨인데 너무 못쳐서 내일 선생님이 화내시면 어떻게 하지? 라는 급한 마음보다는 조금 더 멀리 바라보고 평생을 같이 즐기면서 갈 수 있는 친구같은 음악을 하면서 지내야 한다고 얘기해 주고 싶어요.

예전에 음악의 선배한테 이런 말을 들은적이 있어요. <아무도 천재를 이길 수 없으나 노력하는 사람은 천재를 이길 수 있고, 노력하는 사람을 이길 수 없으나 즐기는 사람은 노력하는 사람을 이길 수 있다.>

선생님으로서 그리고 음악의 선배로서 여러분이 항상 즐기면서 즐겁게 연습하고, 멀리 바라보고, 친구같은 음악가가 되길 바랄게요.

..............................힘내세요!!!

나는야 양재웅

나는 피아니스트지

꿈을 늦게가졌지만 yo!

나는 음악을 정말 사랑해 yeah!

모짜르트 오스트리아

더 좋은 배움을

깨달았지 hey!

코로나 생각하면

항상 떠오르는 단어

stop stop stop

하고싶은 공연

하고 싶은 소통

기대하던 무대들도

bye bye bye

내가 바라는 건

다시 음악인으로

back back back

힘들고 지치더라도

포기 하지 말go

재능 위에 노력

노력 위에 Enjoy!

음 음

즐거울 악

Hey! Joy!

친구 같은 음악가로

go go go!!!

Part 4

인터뷰어 _ 유채원

안녕하세요.
저는 현재 충청남도 탕정에 살고 있고
한들물빛초를 다니는 6학년 유채원입니다.
친구들과 노는 것을 좋아하여
가끔 <뽀로로>라고 불릴 때가 있습니다.
귀여운 동물이나 물건을 좋아하고,
그런 것을 그리는 것을 좋아합니다.
마블 영화를 좋아하고,
그런 부류의 다른 영화들도 좋아합니다.

아홉 번째 인터뷰이

안녕하세요
저는 인터뷰어 채원이의 엄마이자,
아이들에게 수학을 가르치고 있는
〈Honeytip〉 원장이자 꿀팁쌤 신경미라고 합니다.
잡학다식(雜學多識)이 어느새 장기(長技)가 되어
걸어 다니는 백과사전으로 불리기도 합니다.
다재다능한 캐릭터에 걸맞게
원숭이띠인 43살입니다.

마스크
거리두기

1. 코로나 하면 가장 먼저 떠오르는 단어는 무엇인가요? 그 이유는 무엇인가요?

코로나 하면 가장 먼저 떠오르는 단어는 뭐니 뭐니 해도 <마스크> 입니다. 감염을 최소화하고 전파를 막기 위한 가장 큰 예방책이라고 할 수 있는 마스크의 위력을 2년여 동안 코로나를 통하여 실감했습니다. 마스크를 생활화하면서 외출을 한 후 매 시즌 달고 살던 비염이 확연하게 줄어들고, 아이들도 감기에 걸리는 횟수가 현저하게 줄어들었습니다.

또한, <사회적 거리두기>가 마스크와 함께 떠오른 코로나 관련 단어입니다. 코로나가 세계적으로 퍼지기 시작한 시기에 미국에서 100일가량 생활하고 2020년 2월 초에 귀국하게 되었습니다. 이후 1년여 동안은 외출을 최소화하고 거의 집에서만 생활했습니다. 아이들도 원격수업을 진행하고, 저도 일을 잠시 쉬어가면서 아이들과 함께 집에서 할 수 있는 것들만 했습니다. 현재도 코로나 이전보다는 현저하게 줄어든 외부 활동을 유지하며 생활하고 있습니다.

2. 코로나19가 유행하면서 아이들이 밖에 나가지 않아 〈확찐자〉라 불리는 아이들이 많아졌는데, 그 말을 듣고 혹시 우리 아이도? 라는 생각을 하신 적이 있나요? 특별히 신경 쓰신 부분이 있다면 어떤 것이 있을까요?

저에게는 두 명의 아이가 있습니다. 막내인 아들이 평소 봄철이면 외출이 힘들 정도로 심한 알레르기를 가지고 있습니다. 그래서 혹시나 코로나에 걸리게 되면 이후 몸 상태를 예상할 수 없었기에 집에만 있어야 했습니다.
물론, 집이 1층이어서 다른 집보다는 운동할 수 있는 환경이 좋았지만, 집에서만 하는 운동에는 한계가 있었고, 성장기이다 보니 식욕은 점차 왕성해졌습니다. 코로나 이전 마른 편이었던 둘째는 과체중을 넘어 비만 단계에 접어들어 올 상반기에 성장검사를 하게 되었습니다. 식이요법과 운동을 꾸준히 해야 한다는 것을 병원에서 듣게 된 둘째는 점차 간식 양을 줄여나가면서 집 근처 주짓수 체육관을 다니고 있습니다.

3. 아이들이 학교에 못 가고 원격수업을 진행한다고 했을 때 어떠셨나요?

저는 오히려 원격수업을 찬성하는 입장이었습니다. 코로나 이전에 큰아이가 3학년이 되어 학교에서 부모 참여 수업을 진행하였는데 1, 2학년 때와는 사뭇 다른 모습으로 학교생활에서 즐거운 표정이 보이지 않았습니다. 초등학교 3학년부터는 교과과정의 양도 많아지고, 학교에서 지내는 시간도 늘어나 변화의 시기였습니다.
그래서 남편과 상의 끝에 3학년 11월에 남은 체험활동을 다 활용하여 아이들과 미국에서 100일 동안 생활하게 되었습니다. 그동안 교과 활동을 이어가기 위해서 그 당시 많이 알려진 홈스쿨링 제품을 가지고 가서 꾸준히 3학년 나머지 과정을 공부했습니다.
그 덕분에 4학년이 되어서도 원격수업에 필요한 모든 준비가 되어 있었고, 큰 어려움 없이 진행할 수 있었습니다. 저도 함께 아이들과 교과과정을 봐주면서 가족들이 즐길 수 있는 새로운 것들을 시도했습니다. 원격수업의 부족함을 채우기 위한 <삼행시 짓기 발표대회>, 사회성을 심어주기 위한 <보드게임> 등을 활용하여 함께 하는 시간을 이어가니 학업에 대한 걱정은 줄어들고, 원격수업을 진행해 나가는 데 오히려 도움이 되었던 것 같습니다.

4. 일하면서 가족도 돌봐야 하는 워킹맘으로서 코로나로 인해 가장 힘들었던 점은 무엇인가요?

아이들이 코로나로 학사일정이 단축수업을 시행하고 학교생활을 이어가던 중 큰아이 반에서 코로나 확진자가 발생하여 2주 격리하게 되었습니다. 당시 법적으로는 부모가 공무원이나 어린이집, 유치원 선생님이 아니고 사기업에 다닐 경우 기업에서 휴가를 주지 않으면 아이들만 집에 두고 일을 나와야 했습니다.
그러던 중 사고가 발생하여 둘째가 급히 응급실에 가야 했지만, 직장에서 제가 진행하는 일을 대신 해주실 수 있는 분이 없었기에 두 시간이 지나서야 아이를 데리고 병원에 갈 수 있었습니다. 워킹맘으로서는 제일 힘든 점은 아이가 혼자 있는 시간이 많아지면서 혹시라도 다치거나 아픈 경우 바로 대처할 수 없는 것입니다. 그럴 때 마음이 가장 무겁고 힘듭니다.

5. 밖에 못 나가는 아이들은 운동량은 적고, 핸드폰이나 게임을 많이 하게 되니 여러 가지로 스트레스가 많았을 것 같아요. 어떤 방법으로 극복하셨나요?

아이들이 집에서만 생활하면서 시간이 많다고 생각해서인지 <조금 있다 할게요.>라며 미루는일들이 많아졌습니다. 최소한의 진동이나 소음 없이 할 수 있는 운동 방법을 찾아 소리가 나지 않는 캐치볼을 함께 하거나 보드게임을 함께 하고 본인이 해야 하는 그날의 해야 할 일을 다 했을 경우 주말에만 게임을 할 수 있도록 했습니다.

또 제가 개인적으로 시간이 될 경우에는 아이들에게도 집중하는 모습을 보여주기도 하고, 몰입할 수 있는 펜글씨 쓰기로 사자소학, 명심보감, 논어를 쓰는 새로운 취미생활을 해보면서 극복해 나갔습니다.

그리고 같은 일을 하는 선생님들과 함께 화상으로 스터디 활동을 하면서 새로운 티칭 방법과 교재연구를 해나가고 문제를 다양한 시각으로 접근하여 논의하니 새로운 자극과 힘이 됨을 느끼며 스트레스 또한 해소할 수 있었습니다.

6. 코로나 확진으로 격리했을 때 이야기를 들려주세요.

처음 코로나 증상을 느끼면서 목이 따끔거리며 아프고 근육통이 느껴져서 더운 여름철 쉽사리 올 수 있는 냉방병으로 생각이 들었습니다. 그러나 학생 중 코로나 확진자가 발생한 사실을 알게 되고 저도 코로나일 수도 있다고 판단하여 아이들과 함께 학교를 등교시키지 않고 바로 병원에서 신속항원검사를 시행하니 저만 양성판정이 나왔습니다.
집으로 돌아와 혼자 격리 생활을 할 공간을 만들었습니다. 3일간은 기침과 목 아픔이 지속되고, 근육통이 심하여 쉽게 잠을 이룰 수 없었습니다. 점차 약을 먹고 호전되었지만, 4일 차 되는 날 아이들도 확진이 되었습니다. 저는 이제 직장에 나가지 않고 집에서 아이들을 가르치고 있는데, 일주일 더 대면 수업을 진행하지 않기로 안내를 드리고, 수업이 꼭 진행되어야 할 친구들은 고학년부터 줌(화상수업)으로 수업을 했습니다.
코로나로 신체적인 아픔은 있었지만, 점차 회복된 후 밀린 일을 하고 정리할 수 있는 시간을 갖게 되어 오히려 전화위복이 되는 시기였던 것 같습니다.

7. 힘들었던 시간이었지만, 그래도 좋은 점이 있었다면 무엇인가요? 또 감사한 분들이 있다면 어떤 분들일까요?

코로나 확진 판정 후, 바로 수업하는 친구들 부모님들께 안내를 드리고 격리 생활을 하면서 모든 부모님이 배려와 걱정을 해주시는 마음들이 느껴져서 참으로 감사했고, 함께 스터디를 진행하며 알고 지내는 부산에 사는 선생님께서 목에 좋은 캔디를 보내주시는 등 여러 분의 따뜻한 마음을 느낄 수 있는 시간이었습니다.

8. 엄마로서 또 개인적으로 지금 바라는 것이 있다면 무엇인가요?

현재 가족들 모두 코로나 이후 아직은 컨디션들이 100% 회복된 느낌이 아닙니다. 워낙 기관지가 좋지 않아 쉽게 비염, 후두염을 잘 앓던 이력들이 있어서 격리가 모두 끝나고 코로나 검사 시에 모두 음성으로 나왔지만, 피로도와 잔기침은 아직들 가지고 있습니다. 가족 모두 코로나 후유증 없이 건강하게 지내기를 바랍니다.

9. 인터뷰이 채원과 이 책을 읽고 있는 독자들에게 해주고 싶은 말은 무엇인가요?

어떤 상황에서든 부정적인 생각과 걱정만을 하다 보면 오히려 더욱 상황을 좋지 않게 만들어 나갈 수 있어요. 좋지 않은 상황을 잘 활용하여 본인이 긍정적으로 만들어 나간다면 자신을 더욱 성장시키고 발전할 수 있는 계기가 되어 새로운 상황도 즐길 수 있는 여유가 생긴답니다.

독자 여러분들도 순간순간 긍정적인 생각으로 상황을 바라보는 여유를 가진 사람이 되기를 바랍니다.

..............................힘내세요!!!

내 이름은

신.경.미

두 아이 엄마

수학쌤

대한민국

워킹맘이지

코로나

마스크 쓰면서

감기 걸리진 않았어

But YO!

막내아들

확찐자 되어

비만이 되어버렸어

운동량 걱정
큰일 났어
비상이야
게임만 해

삼행시 짓기
보드게임
함께 하는 멋진 맘!

안 좋은 일이
자꾸 생겨도
긍정적으로
Think! YO!

여유를 가져 봐
좋은 일이 생길 거야

열 번째 인터뷰이

안녕하세요.
저는 현재 연기예술학과 재학 중인
대학교 2학년 21살 이예린입니다.
어렸을 적부터 극단 생활을 하며
자연스럽게 배우의 꿈을 키웠고,
예술 고등학교와 예술 대학교에 진학하게 되어
제 꿈을 향해 꾸준히 달려가고 있는 평범한 대학생입니다.
요즘은 MBTI라는 성격 유형 검사가 유행이죠?
제 성격 유형은 ESTJ입니다.
〈효율을 중요시하고, 현실적이며 자기관리가 철저하다.
또 독립적인 면과 책임감이 돋보이며
솔직하고 객관적이기 때문에 거짓말을 잘하지 못한다.〉
저를 나타내기에 딱 맞는 설명들인 것 같아요.
또 저는 작고 귀여운 것들을 애정하며
먹는 것, 특히 빵을 정말 좋아하는 빵순이랍니다.

상실

1. 코로나 하면 가장 먼저 떠오르는 단어는 무엇인가요? 그 이유는 무엇인가요?

아무래도 <상실>이라는 단어가 가장 먼저 떠올라요. 평소에 아무렇지도 않게 느껴왔던 주위 모든 것들에 대한 상실 말이에요. 평범한 일상 속 너무나도 당연했던 것들에 대해 크고 작은 불편함은 물론이고 제가 가장 가까이 접해온 공연예술계의 타격과 상실감은 이루 말할 수 없어요. 사람들이 많이 모일 수 없으니 관객을 받기 어려운 것은 물론 연습과 제작조차 힘든 상황에 다다랐을 때의 심정은 뭐라 빗대어 표현할 말이 없을 정도로 힘들었어요. 코로나에 걸려서 나만 아프고 힘든 건 괜찮지만, 그 하나로 인해 주변 모두의 일상이 멈춘다는 것은 정말 너무나도 무서운 일이잖아요. 그래서 속상하고 억울한 마음이 들더라도 더 조심할 수밖에 없었던 것 같아요.

2. 연극 영화과여서 입시 준비할 때 어려움이 많았을 텐데 어떤 어려움이 있었나요? 또, 연극 영화과에 입학하고 싶은 학생들에게 조언도 부탁드려요.

제가 입시를 막 시작할 때쯤 코로나가 터지기 시작했어요. 이제 막 불을 지피기도 전에 꺼진 기분이었어요. 설상가상으로 개학까지 연기되는 최악의 상황까지 직면해버렸죠. 저는 예술 고등학교에서 입시를 진행했기 때문에 학교에서 모든 입시에 관련된 수업이 진행되었는데, 학교를 못 가게 된 거예요. 그땐 정말 울고 싶었어요. 학교가 그렇게 가고 싶었던 적이 없었답니다. 한창 땀 흘리며 연습만 해도 모자랄 시기에 친구도 못 만나고 집에만 있어야 하는 상황이 그저 원망스럽기만 했어요.
나중에 개학하고 나서도 예전과 같은 학교의 풍경은 찾아볼 수 없었어요. 모든 수업은 분반을 통해 진행했고, 학년별로 등교하거나 원격 수업을 진행하니 입시를 진행하는 3학년 말고는 아무도 없었죠. 아침에 등교하는 9시부터 오후 수업이 마친 저녁 10시까지 늘 고요했던 기억이 나요.

지금은 예체능 실기 부문에 있어 비대면 입시 진행에 대한 어느 정도의 레퍼토리와 자료들이 있지만 제가 딱 영상 비대면 입시의 첫 세대였어요. 2분짜리 실기 영상으로 저의 1년 노력의 결과가 좌우되다니. 아무도 가보지 않았던 이 길이 정말 당황스럽고, 혼란스럽고, 어렵고, 무섭기까지 했어요. 시험장 한 번 밟아보지도 못하고 나의 첫 입시가 끝날 수도 있겠다는 생각에 눈물을 흘렸던 기억이 나요.

저와 같은 분야의 입시를 희망하시는 분들에게 조언이라면 정말 딱 하나에요. 성공하는 방법은 누구나 알아요. 아마 이 글을 읽는 독자님들도 모두 아실 거예요. 단지 그 단순하고 쉬운 것들을 꾸준히 해낸다는 것이 정말 어렵죠. 당장 오늘의 내가 할 수 있는 것들을 하세요. 그 작은 습관 하나, 꾸준한 노력이 모여 자신감과 확신을 만들고 그 힘이 결국 시험장에서 반드시 빛을 발하게 될 거예요. 모두 파이팅입니다!

3. 성인이 된 후에도 친구들과 많이 못 놀았을 텐데 너무 속상했을 것 같아요. 그럴 때는 어떻게 하셨는지 궁금해요.

성인이 되고, 나라에서 통금을 정해주는 시대가 왔어요. 거기에 인원 제한까지 생겼으니 다 같이 놀래야 놀 수 없는 상황이었죠. 하지만 개인적으로 내 사람들과 소박하게 즐기는 삶도 나름 행복했어요. 보고 싶은 사람들과 소수로 만나 진솔한 이야기를 하며 시간을 보내는 게 익숙해져서 그런 걸까요. . 남들은 다 겪어본 것들을 겪지 못한다는 것이 조금 속상했지만, 나름대로 소중한 사람들과 소박하고도 행복한 시간을 보내면서 잘 견뎠던 것 같아요. 앞으로 조금씩 다른 종류의 행복도 알게 되겠죠!

4. 대학에 합격하고 코로나 덕분에 그나마 좋았던 점도 있었나요?

사실 좋은 점이라고는 잘 모르겠어요. 전공 특성상 실기 위주의 수업이 주를 이루는데, 비대면 수업을 통해서는 할 수 있는 게 없다고 느꼈거든요. 원활한 소통도 되지 않았고 모든 게 처음이라 어색했던 상황 속에서 적응도 더 더딜 수밖에 없었어요. 그나마 좋은 점이라면 코로나로 인해 A의 비율이 상대적으로 많이 올라서 좋은 성적을 받기에 조금 더 수월했다는 점이겠네요. 하지만 저는 이것도 잘 모르겠어요. 코로나 시국이든 아니든 열심히 하면 좋은 성적이 따라오는 건 당연한 거니까요. 더 많은 것을 직접 배우고 접하고 싶었던 저로서는 코로나로 인해 좋았던 점은 크게 없었던 것 같아요.

5. 공연 연습할 때 노래를 부르기도 할 텐데 마스크를 끼고 하면 너무 힘들 것 같아요. 그 불편함을 극복하는 나만의 방법이 있나요?

노래뿐 아니라 상대방과 호흡을 맞출 때, 춤을 추거나 격한 움직임을 해야 할 때 등 여러모로 답답하고 힘든 점이 많았어요. 무엇보다 감정을 전달하면서 얼굴과 표정이 제대로 보이지 않으니 피드백을 주고받기에 어려움이 있었죠.
최대한 거울을 보고 혼자 연습을 많이 했어요. 마스크에 너무 익숙해지다 보니 나중에는 마스크 벗은 제 모습이 스스로 어색하고 부끄럽게 느껴지기도 하더라구요. 공연이 임박했을 때 처음으로 마스크를 벗고 동료들과 연습하는 시간을 가진 적이 있었는데, 서로의 얼굴을 보고 웃음을 참지 못해 익숙해지는 데 꽤 시간이 걸렸던 경험도 있어요. 영상을 찍어 제 모습을 객관화하려는 시도도 정말 많이 했고, 반대로 마스크를 낀 상태로 '눈'에 보다 많은 의미와 감정을 담으려는 시도도 많이 해봤어요. 어떤 종류의 것이든, 다 지금의 저에게 많은 도움이 돼요. 그 순간에 제가 할 수 있는 아주 신선하고 좋은 경험들이었던 것 같아요.

6. 코로나에 걸렸을 때는 어땠는지 궁금해요. 저도 걸렸었는데 많이 아프지는 않았나요? 격리 기간의 이야기를 들려주세요.

확진자가 급증하던 22년 2월 말 결국 저 또한 코로나에 걸리고 말았어요. 생각했던 것보다 훨씬 아팠죠. 저 같은 경우에는 사전 어떠한 증세도 없이 하루아침에 몸이 이상해졌어요. 전날까지 잘 생활하다가 아침에 눈을 뜨니 목이 아프고 머리가 어지러웠죠. 하필 그날이 출근날이라 어쩔 수 없이 아픈 몸을 이끌고 일을 나갔는데, 증상이 호전되지 않아 결국 조퇴하고 코로나 검사를 받으러 가서 그 길로 바로 격리에 들어가게 됐습니다. 셋째 날까지 열이 38도까지 나고, 목이 찢어질 듯 아파 아무것도 못 하고 누워만 있었던 것 같아요. 몸에 기운도 없고 제대로 먹지도 말하지도 못하니 할 수 있는 게 아무것도 없더라구요. 저는 모든 증상이 다 있었어요. 열도 나고 근육통에 미각도 사라지고 목이 찢어질 듯 아팠죠.
다행히 그 뒤로는 여전히 남아있는 목 통증을 제외하고 많이 호전되어서 그동안 바쁘단 핑계로 미루었던 책 읽기, 영화 보기, 좋아하는 드라마 보기 등을 하며 나름 효율적으로 시간을 보내려고 노력했어요. 격리 여섯째 날이 되었을 때쯤에는 작은 방 안에서 혼자 스트레칭도 하며 몸도 풀만큼 많이 좋아졌구요. 그렇게 제 지옥 같은 일주일이 지나갔답니다.

아무래도 가장 힘든 건 답답함이었어요. 방 밖으로 나가지 못하니까 너무 힘들더라구요. 코로나는 일상의 소중함을 뼈저리게 느끼게 해주는 것 같아요.

7. 대학생이 되면 하고 싶은 것들이 많았을 것 같아요. '대학의 꽃'이라 불리는 MT를 못 갔을 때 심정이 어땠나요?

많이 아쉬웠죠. 아무래도 새내기로서 누릴 수 있는 것들을 경험해보지 못해서 모르는 게 너무 많아요. 예전 말로만 전해 듣던 대학의 축제들이나 조금은 구식이더라도 선후배 함께 어울려 지내는 학교생활은 상상도 할 수 없게 되어버렸으니까요. 이제는 축제나 학교 행사를 못 가게 되더라도 너무 당연하게 받아들여지고, 크게 마음이 쓰이지 않는 제 모습을 발견했을 때 조금 속상하긴 해요. 지금 이 나이, 이 순간에만 누리고 즐길 수 있는 것들이 분명히 있을 텐데 나중에는 너무 늦지 않을까 싶기도 하구요. 조금 나아지는가 싶더니 다시 코로나가 심해져서 걱정이에요. 언제쯤 이 굴레에서 벗어날 수 있을까요?

8. 코로나가 완전히 끝나면 무엇을 가장 하고 싶나요?

마스크가 필요 없는 여행을 가고 싶어요. 마스크 없이 자유로이 실내를 드나들고, 눈치 보지 않아도 되는 그 환경이 너무 그리워요. 여행을 가게 된다면 꼭 멀리 가고 싶어요. 프랑스나 로마 같은 곳이요. 마스크 없이 긴 시간 비행하며 자유로이 그 안에서 음식도 먹고, 코로나에 구애받지 않고 입출국이 가능한 때가 하루라도 빨리 왔으면 좋겠어요.

9. 인터뷰이 채원과 이 책을 읽는 독자들에게 해주고 싶은 말은 무엇인가요?

<카르페디엠>. 지금 사는 이 순간에 충실히 하라는 라틴어에요. 그간 너무나 가까워서 그리고 당연해서 인지하지 못했던 소중한 것들에 대한 깨달음이 저는 너무나 값져요. 잊지 않고 현재를 살아 더 나은 내일을 만들 수 있는 내가 되겠습니다.
'코로나19'라는 팬데믹 상황에서도 각자의 자리에서 늘 치열하게 본인의 삶을 지켜주셔서 감사합니다. 지금은 우리 모두 많은 것을 잊고, 잃고 살지만 머지않은 미래에 반드시 우리의 소중한 일상을 되찾을 수 있을 거라는 희망을 절대 놓지 않겠습니다.

..............................힘내세요!!!

연기예술학과

코로나 새내기

내 이름은

이.예.린

코로나19는

나에게

상실

일상이 멈췄G

난 울고 싶었G

난 무서웠G

나의 꿈이 이렇게 끝날까

난 몰래 눈물을 흘렸어

하지만

모두

카르페디엠!!!

이 순간에 충실히 하자

카르페디엠!!!

나는

우리는

나의 자리에서

각자의 자리에서

늘 치열하게 살아왔G

절대 희망의 끈을 놓지 않았G

앞으로도 끈을 놓지 않겠G

Part 5

인터뷰어 _ 고은성

안녕하세요.
저는 한들물빛초 6학년 고은성입니다.
저는 친구들과 노는 것을 좋아하고,
친화력이 좋은 편입니다.
취미는 그림 그리기와 필라테스입니다.
저의 MBTI는 ISFP입니다.
루피를 닮아
친구들이 <루피>라고 부릅니다.

열한 번째 인터뷰이

경기남부경찰청 사이버수사과
사이버수사 기획계장으로 근무하고 있는
이영필 경정입니다.
올해 나이는 51세이고,
업무는 한강 이남 경기 남부지역 31개 경찰서
사이버수사팀 사건 수사를 지도하고,
경기 남부 지역 주민을 대상으로
사이버범죄 예방 교육 및 홍보활동을 담당하고 있습니다.

거리두기 예방주사

1. 코로나 하면 가장 먼저 떠오르는 단어는 무엇인가요? 그 이유는 무엇인가요?

<사회적 거리두기>, <코로나19 예방주사>가 떠오릅니다. 확진자 증가추세에 따라 보건 당국은 사회적 거리두기를 추진하였고, 사회적 거리두기는 우리 생활은 물론 경찰의 법 집행에도 많은 영향을 미쳤기 때문입니다. 코로나19 예방주사는 시급한 도입으로 인해 접종 후 부작용이 속출했고, 일부 경찰관들이 죽거나 의식 불명에 빠지는 일까지 발생하여 매우 충격을 받은 적도 있습니다.

2. 코로나19가 유행하면서 가장 힘들었던 점은 무엇인가요?

피의자를 구속하거나 압수수색 영장을 집행할 때 대상자가 코로나19 접촉자나 확진자일 경우 법적 제약이 많아서 법 집행에 큰 어려움을 겪었고, 동료 경찰관들이 코로나19에 감염되어 업무 공백이 발생할 때 대체 인력 확보에 어려움을 겪었습니다.

3. 수사하는 중에 코로나 때문에 힘든 일이 있었나요? 기억에 남는 이야기를 들려주세요.

피의자를 구속하거나 압수수색 영장을 집행할 때 대상자가 코로나19 확진자나 접촉자일 경우 전신 방호복을 입어야 했고, 더운 여름철에는 땀으로 범벅이 되는 불편함이 있었습니다.
그 외에도 피의자를 구속할 경우 유치장 내에서 확진자와 미확진자를 분리하고 관리하는 데 어려움이 많았습니다.

4. 코로나19 기간 가정폭력이 많아졌다고 들었는데 사실인가요? 사실이라면 이유는 무엇이라고 생각하시나요?

언론에서도 코로나19 기간 가정폭력이 많이 발생하였다고 경찰청 통계를 인용하여 여러 차례 보도했던 것처럼 실제로 일선 현장에서도 가정폭력, 아동학대 범죄 신고가 평소보다 많이 들어왔던 것이 사실입니다. 이는 실내에 오랫동안 생활하다 보니 스트레스가 쌓여 가족 간 분쟁이 더 많이 발생한 것이라고 판단됩니다

5. 거리두기가 완화되면서 국민들은 조금 편해진 부분도 있지만, 다시 확진자가 늘면서 걱정이 많으실 것 같아요. 경찰로서 거리두기 시행에 대한 입장은 어떠신지 궁금해요.

해당 질문은 방역 당국의 업무 영역이므로 경찰로서 입장을 말하는 것은 적절해 보이지 않습니다. 다만, 사회적 거리두기 강화가 관련 신고 폭증으로 이어지고, 결국 경찰업무의 부담이 증가하므로 재확산에 대한 많은 걱정으로 주시하고 있습니다.

6. 항상 국민들을 위해 애써주셔서 감사드려요. 지금 가장 바라는 것은 무엇인가요?

코로나19 외에도 우려되는 것들이 많습니다. 그중 최근 지구 온난

화가 심각한 문제로 부상하고 있습니다. 지구의 온도를 낮추기 위한 학생 여러분들의 많은 참여를 바랍니다. 또한 학생들이 공부를 열심히 하여 국가와 국민을 위하여 보탬이 되는 한 사람 한 사람이 되기를 바랍니다.

7. 인터뷰어 은성과 이 책을 읽는 국민들에게 해주고 싶은 말은 무엇인가요?

자기 자신만을 위해 살아가는 이기적인 사람이 아니라 세계평화, 지구온난화, 빈곤 등 환경적, 사회적 문제에 더 많은 관심을 두고 자신이 할 수 있는 범위내에서 최선을 다하는 사람들, 그래서 모두가 잘살고 행복한 세상을 만들어가는 멋지고 아름다운 사람들이 되었으면 좋겠습니다.

..............................힘내세요!!!

난 이영필 경정

경기남부경찰청 사이버수사과

사이버수사 기획계장이G

확진자 만날 땐

방호복을 입고

땀 범벅이 돼G

거리두기 관련 신고

Too Hard

코로나19 예방접종

부작용 속출

의식불명 동료들

충격적이었G

사회문제 관심 Go!

우리 함께 코로나 이겨내 yo!

고집북스 틴즈 . 135

열두 번째 인터뷰이

저는 한들물빛초등학교 6학년

이윤서입니다.

취미: 놀기, 다꾸, 스케이트보드, 춤

싫어하는 것: 해산물

좋아하는 것: 과일, 소고기

PCR
검사

1. 코로나 하면 가장 먼저 떠오르는 단어는 무엇인가요? 그 이유는 무엇인가요?

코로나 하면 가장 먼저 생각나는 단어는 <PCR 코로나 검사>입니다. 코로나 때문에 PCR 검사를 한 경험이 많기 때문입니다.

2. 코로나19로 인해 학교나 가정에서 가장 불편한 점이나 힘든 점은 무엇인가요?

친구들과 학교에서 마스크 쓴 제2의 얼굴(?)을 보여줘야 하는 것이 너무 싫었어요. 또한 여름에 마스크를 쓰고 있으면 마스크 속에 땀이 차서 너무 싫고 찝찝했습니다.

3. 코로나19가 유행하면서 친구들과 많이 놀지 못했는데, 거리두기 기간 주로 어떻게 시간을 보냈나요?

한국에서 거리두기를 했을 때 저는 캐나다에 있었습니다. 그래서 저는 사실 거리두기의 불편함은 많이 느껴보지 못했습니다. 돌아와서 친구들의 이야기를 들어봤는데, 외식이나 여행을 자유롭게 하지 못해서 많이 힘들었다고 하더라고요.

4. 코로나 이후 처음 원격수업했을 때 어떤 생각이 들었나요?

원격 수업을 하니 친구들과 쉬는 시간과 점심시간에 놀 수 없다는 점이 너무 아쉬웠고, 친구들과 마스크 쓴 모습이 익숙해져서 온라인에서는 마스크를 벗고 만나니 오히려 더 어색했습니다.

5. 거리두기가 완화되면서 원격수업을 하지 않고 등교해서 좋은 점이 있나요?

등교하니 여러 가지 학교 생활을 할 수 있고, 친구들과 쉬는 시간과 점심시간에 이야기도 하고 같이 놀 수 있다는 점이 제일 좋았어요.

6. 코로나 기간 개인적으로 좋았던 점이 있다면 어떤 것이 있나요?

평소에 친구들이 급식 먹을 때 서로 침이 튀기도 했었는데, 칸막이가 생기면서 위생이 좋아졌고, 손 씻기를 열심히 하면서 좀 더 건강해진 것 같아요.

7. 코로나가 완전히 끝나면 제일 하고 싶은 것은 무엇인가요?

코로나가 완전히 끝나면 나는 친구들과 파자마 파티를 하고 싶어요. 그리고 해외여행도 가고 싶은데 특히 하와이에 꼭 가족들이랑 가고 싶어요. 마지막으로 제발 중학교 때는 코로나가 완전히 끝나서 1박 2일 현장 체험학습 등 지금보다 더욱 재미있는 활동들을 하고 싶습니다.

8. 코로나 기간 고마웠던 사람들은 어떤 분들이 있을까요?

코로나 기간 가장 고마웠던 사람들은 아무래도 의료진분들인 것 같습니다. 자신의 위험을 무릅쓰고 다른 생명을 위해 열심히 노력하신 점이 가장 고맙습니다.

9. 코로나로 인해 학폭이 줄었는데 다시 학교에 가면서 늘어나고 있어요. 이 점에 대해 어떻게 생각하나요?

학폭이 다시 늘어난다는 점은 너무 안타깝고 무섭네요. 코로나와 상관없이 모든 친구가 서로 배려하고 조심하면서 학교생활을 했으면 좋겠습니다.

10. 만약 코로나가 사람이라면 코로나에게 하고 싶은 말은?

코로나님! 이제 좀 저 우주 밖으로 가주실래요? 당신 때문에 이 지구가 뭔 상황입니까? 제발 좀 가주세요.

11. 인터뷰어 은성과 이 책을 읽을 친구들에게 해주고 싶은 말은 무엇인가요?

내 친구가 열심히 쓴 책 재미있게 봐주세요. 많관부!!!

..............................힘내세요!!!

내 이름은 이윤서

코로나!

난 너무 싫어

P.C.R

again & again

And YO!

수학여행do

수련회do

못 가서 아쉽지yo

But YO!

급식실 칸막이

침 튀기는 걸 막아 주지yo!

손을 자주 씻go

마스크 쓰go

비말을 차단해 주G

감기도 걸리지 않G

코로나19

Get out of the Earth!

열세 번째 인터뷰이

안녕하세요

동두천에서 약국을 운영하는

최윤석 약사입니다.

올해로 42살입니다.

약대를 졸업하고 약사로 일한 지는

10년 정도 되었습니다.

두 아이의 아빠이고,

저도 그림 그리는 것을 좋아했습니다.

마스크

1. 코로나 하면 가장 먼저 떠오르는 단어는 무엇인가요? 그 이유는 무엇인가요?

아무래도 <마스크>가 가장 먼저 떠오릅니다. 지금 우리는 집에서나 혼자 있을 때를 제외하고는 마스크를 쓰고 생활하고 있습니다. 우스갯소리로 마스크 없는 일상이 이제 불편하다고 하는 사람들도 있으니까요. 업무적으로는 코로나 초기에 마스크 대란이 일어났을 때, 정부의 방침으로 국민들에게 방역 마스크를 공정하고 안정적으로 공급하기 위해 배부처를 약국으로 한정했습니다.

부족한 마스크를 국민들께 공정하게 나눠드리기 위해 한 명 한 명 일일이 신원을 확인하고 하며, 개수를 정확하게 나누고 배포하며 고생한 기억이 제일 남습니다.
약국의 공공적인 기능이 강화되고, 전염병이 도는 비상 상황에서 약사님들이 국민들에게 도움이 되고 기억될 수 있었다는 점이 그 이유입니다.

2. 코로나19가 유행하면서 가장 힘들었던 것은 무엇인가요?

처음 경험해보는 절차와 시스템으로 마스크나 코로나에 관련된 약을 환자분들께 공급해 드리는 과정이 힘들었습니다. 보통 제도가 바뀌거나 하면 먼저 현장에 있는 실무자들에게 충분히 공지되어야 합니다. 그리고 바뀐 제도가 실행되고 숙달되는데 필요한 시간을 주게 되어 있습니다. 하지만 상황이 너무 급박하게 돌아가는지라 바뀐 절차와 제도를 공식적인 루트를 통해 알기보단 뉴스로 실시간으로 알게 되었습니다. 그러다 보니 하루도 안 되서 부랴부랴 시스템에 맞춰 들어가느라 매우 힘들었습니다.
특히, 바뀐 절차 중에는 약사법에 의하여 평소에는 약국이 할 수 없는 것들이 한시적으로 허용되는 부분이 있었습니다. 예를 들어 격리된 환자에게 약을 배송해준다던가, 처방전을 본인확인이 안 되는 상태에서 팩스 등으로 받는다든가 하는 부분이 많은 약사님을 혼란스럽고 어렵게 했었습니다. 일반인의 상식으로 약이 배송되지 않는다는 것이 지금 시대에는 이해하기 어려울 수도 있습니다만, 사람의 생명과 직결될 수 있는 의약품의 특성상 편의성보다 안전성이 우선이기 때문에 의약품은 배송이나 인터넷 판매가 금지되어 있습니다. 그리고 이렇게 혼란스러운 상황은 현재도 진행 중입니다.

3. 코로나 시대에 약국에서는 손님들이 많아져서 더 좋았을 것 같다는 생각도 드는데요. 약사님 입장에서 실제로는 어땠는지 궁금해요.

환자분이 많아진다는 것은 매출 면으로는 증가한 것이 사실이지만 좋지는 않았습니다. 각 약국이 가지고 있는 약사님이나 직원의 수로 처리할 수 있는 정도를 아득히 넘어서 오기 때문에 서비스의 질이 낮아진다는 느낌을 지울 수 없었습니다. 좀 비인간적으로 돈이 벌린다는 생각에 좀 찜찜하기도 했습니다.
일손이 모자라니 사람을 더 뽑으면 된다고 생각할 수도 있겠지만, 관련된 업무에 숙달된 직원이나 약사님 수를 갑자기 늘리거나, 또는 나중에 줄이거나 하는 부분이 어렵기 때문에 더 힘들었습니다.
환자분 한 분, 한 분 최선을 다해드리고 싶었지만, 예상을 넘어서는 확진자 수와 그에 따른 처방의 갑작스러운 증가로 정상적으로 조제를 하고 복약지도를 하기도 어려웠습니다. 그리고 무엇보다 필요한 약들이 제약사에서부터 고갈이 되어서 약을 구하기도 쉽지 않았습니다.
그 흔하던 타이레놀이 없어서 살 수가 없었다는 이야기를 부모님 혹은 주변으로부터 한 번쯤을 들어봤으리라 생각합니다. 지금은 조금 약이 풀리긴 했지만, 여전히 이전처럼 원활하게 공급되는 수준을 넘어서 이 상황이 빨리 정리되기를 바랄 뿐입니다.

4. 코로나 확진자가 늘어나면서 약국에도 확진 환자들이 많이 오기도 했을 것 같아요. 무섭거나 걱정되지는 않았나요?

당연히 걱정도 되고 두렵기도 했습니다. 큰 병원이나 코로나를 전담할 수 있는 시설에는 확진자들을 격리하거나 거리를 두게 할 수 있는 공간과 시설이 마련되어 있습니다. 하지만 약국에서는 공간도 시설도 제대로 갖추기가 어려웠지요. 공간은 늘릴 수 없으니 간이로 칸막이라던가 가림막 등을 설치하여 현 상황에서 최선을 다하기는 했습니다. 그래도 안심할 수 있는 상황은 아니었지요. 확진자가 한 번 다녀가면 스프레이 소독수로 의자와 공간을 소독하고 항상 손소독제를 의식적으로 바르고 했습니다.
특히 저도 집에 어린 이들을 키우고 있기 때문에 저를 통해 면역력이 약한 아이들이 확진되어 아프기라도 할까 봐 많이 걱정했습니다.

5. 약국에서 마스크와 자가진단 키트를 판매하기 시작했을 때 많이 힘드셨을 것 같은데 기억나는 일이 있으시면 들려주세요.

일부 사람들이 마스크를 사재기해서 현장에 유통물량이 없어졌습니다. 마스크를 구할 수 없게 되자 사람들의 불안감이 커졌고 그에 따른 대책이 정부가 시장에 개입한 공적 마스크라는 제도입니다. 후에 진단키트 때도 다르지만 비슷한 방식으로 정부에서 물량을 통제하여 국민들에게 공급했습니다.
마스크를 일일이 본인 또는 대리인의 확인을 거친 다음 정부의 시스템에 등록하여 한 번 마스크를 구입한 사람이 다른 곳에서 중복으로 살 수 없게 하는 시스템이 한번 사용한 처방전을 다른 약국에서 중복으로 입력할 수 없는 방식과 동일하고, 마스크를 위생적으로 관리하여 분배할 수 있는 곳이 조제실을 갖춘 약국이었기 때문에 일선 약국에서 그 역할을 담당하게 되었습니다.

일단 일일이 본인 또는 대리인을 확인하는 과정이 매우 고되었습니다. 또한 부족한 수량과 사람들의 공포심으로 새벽부터 약국 앞에 줄 서 있는 모습과 본인확인 없이 마스크를 받으려 부정을 벌이는 일부 몰지각한 사람들이 기억에 남습니다. 많은 약국 약사님들의 경험담이기도 하지만 제 약국에서도 폭력적인 사태가 있기도 하였습니다. 별로 좋은 기억은 아니군요.

6. 코로나가 완전히 끝난다면 가장 하고 싶은 게 무엇인가요?

현재 약국에 환자분들과 약사님들 사이에 투명한 가림막이 있습니다. 서로를 보호하기 위해 설치한 가림막이긴 하지만 이 거추장스러운 녀석을 제일 먼저 없애버리고 싶습니다.
처음에 설치할 때는 <뭐 얼마나 가겠어?> 하는 마음으로 설치하였는데 벌써 2년이 훌쩍 넘어가 버렸습니다. 가림막 하나 때문에 환자분들과의 거리도 더 멀게 느껴지고, 특히 어르신들과는 서로 말하는 것이 잘 전달되지 않아서 참 불편하고 힘들었습니다.
그리고 가족들과 마스크를 벗고 여행을 가고 싶습니다. 제 둘째 녀석은 태어난 이래로 마스크를 벗고 밖을 나가본 적이 없습니다. 어디 나간다고 하면 3살 된 녀석이 스스로 마스크를 챙기는 모습이

기특하면서 안타깝네요.

7. 약사로서 지금 가장 바라는 것이 있다면 무엇인가요? 앞으로도 발생할지 모르는 감염병들에 대해 우리가 어떻게 대처하면 좋을지도 알려주세요.

모두 같은 생각이겠지만, 어서 코로나19 상황이 종료되어서 마스크를 벗고 일상으로 돌아갔으면 좋겠습니다.
앞으로 이런 상황이 없으면 좋겠지만, 만약에 다시 발생한다고 하더라도 지난 3년간 우리나라 국민들은 그래도 근거 있고 과학적인 방법으로 잘 이겨내 왔다고 생각합니다. 게다가 이번 코로나19를 거치며 사람들 개개인의 위생 의식이 많이 높아졌습니다. 앞으로 미래에는 이러한 역병이 다시 돌지 않기는 바랍니다만 혹시라도 다른 감염병이 발생한다면 미신이 아닌 과학을 따르며, 의식 있는 시민들이 서로를 믿고, 국가의 책임 있는 대처에 잘 따르면 됩니다.

8. 인터뷰이 은성과 이 책을 읽을 학생들에게 해주고 싶은 말은 무엇인가요?

자신의 미래를 위해 열심히 현장을 탐구해 보는 모습이 매우 보기 좋습니다. 제가 학생 나이 때에는 생각하지 못한 탐구를 하는 부분이라 아주 놀랍고 기특하네요 그리고 저의 직업에 관심 가져 준 것 또한 고맙습니다. 학생과 친구들도 코로나19라는 특수한 상황에서 벌써 2년 이상을 학교생활을 했다는 것이 미안하기도 하고 대견하기도 하네요. 어서 이 상황이 종식되고 미래에는 그땐 그랬지 하는 추억으로 남았으면 합니다.

한 걸음 한 걸음 스스로 노력해서 쌓이는 것이 진짜 자기 것입니다. 가짜 세상의 화려하고 편한 것에 현혹되지 않기를 바랍니다. 본인의 것을 만든다는 것은 어떤 분야를 막론하고 수고스러움과 고된 노력이 필요한 법입니다. 자기 것이 있고 거기에서 자신을 발견하고 만족을 느끼는 사람이 되었으면 좋겠습니다.

..............................힘내세요!!!

나는 약사 최.윤.석
두 딸의 아빠지yo

코로나 초기
마스크 대란
고생한 기억이 있지
약국에 손님이 늘어do
일손 부족해
투명 가림막
no no no
이제 없애고 싶go
마스크를 벗고 나간 적 없는
우리 둘째 안타까워yo

But 높아진 위생 의식
good good good
모두 코로나 극복하go
추억으로 남길!!!

고집북스 틴즈 . 155

Part 6

인터뷰어 _ 이채빈

안녕하세요.
저는 서당초 6학년 이채빈입니다.
저는 코로나19가 발생했을 때
서점에서 우연히 베이킹 책을 보게 되었는데,
그 이후 베이킹을 좋아하게 되어
머랭 쿠키, 스콘 등을 만들고,
이웃들에게 나눔도 합니다.
요즘에는 농구, 줄넘기 등 운동을 좋아해서
서당초에서 대표로 농구대회도 참가했습니다,
줄넘기를 정말 좋아해서
일주일에 다섯 번 정도 음악 줄넘기를 하러 갑니다.

열네 번째 인터뷰이

이름은 오건이고

나이는 40대라는 정도만 밝힐게요.

여러 대학을 거치며 역사, 법학, 교육학 등을 전공하고

교사가 되어 현재는 서당초등학교에서

학생들을 가르치고 있습니다.

역사는 옛 선조들의 지혜를

스토리를 통해 배울 수 있어서 좋아했고,

법학은 현대인의 지혜가 담겨 있어 좋아했으며,

교육학은 학생들의 미래에 도움이 될 수 있다고 생각하여

좋아했습니다.

스페인 독감

1. 코로나 하면 가장 먼저 떠오르는 단어는 무엇인가요? 그 이유는 무엇인가요?

코로나 하면 가장 먼저 과거 <스페인 독감>이 떠오릅니다. 스페인 독감으로 인하여 적지 않은 인류가 죽었으며 단기간 내에 끝나지 않고 여러 번 변이를 거듭하며 재유행되었지만, 인간들은 바이러스를 완전히 없애지는 못했을지라도 결국 극복해 냈습니다. 코로나도 비슷한 과정을 밟지 않을까 생각합니다.

2. 갑작스러운 온라인 수업 전환으로 선생님들께서 너무 많은 고생을 하셨는데, 코로나 때문에 학교 업무에서 가장 힘들었던 점은 무엇이고, 어떻게 극복하셨나요?

코로나가 국내에서 유행을 시작하던 2020년도에는 체육을 전담하고 있었습니다. 온라인 수업해야 하는데 초등체육은 초창기에 콘텐츠가 거의 없어서 직접 스포츠강사와 함께 촬영하거나 학생들에게 도움 되는 동영상을 하나하나 찾으며 수업 준비를 했었습니다. 나중에는 디지털 교과서를 활용하여 직접 화면녹화를 하며 온라인 수업을 준비했고요. 담임을 하는 동안에는 매일 아침 출결 보고와 코로나 출석 인정 결석 증빙자료 정리, 발열 체크, 사회적 거리두기 등 코로나 유의 사항 지도, 수업 중 코로나 유증상자 귀가 조처, 대체 학습 준비 등으로 정신이 없었습니다.
하지만 가장 힘든 점은 마스크를 쓰고 수업해야 했던 것입니다. 마스크를 쓰고 계속 말을 하면 호흡이 어려워질 때가 있고, 물도 제대로 마시기 어렵거든요. 이 점은 계속 적응해 나가는 중입니다. 이제는 마스크 쓴 채로 생활하는 게 편할 때도 있는 것 같아요.

3. 코로나 시대에 학교에서 학생들이 가장 잘 지켰으면 하는 것들은 어떤 것이 있을까요?

아무래도 기본 수칙을 지키는 것이 아닐까 합니다. 손 씻기, 마스크 특히 실내에서 마스크 꼭 쓰기, 친구와 가급적 접촉하지 않기, 아프면 쉬기 등등. 또 마스크를 쓰고 생활하다 보니 오히려 마스크 벗은 친구의 얼굴을 보고 낯설어하는 모습을 발견하기도 하는데, 코로나 시대가 친구의 말을 더 많이 들어주는 시간을 갖는 기회가 되었으면 합니다.

4. 코로나19 기간 학교생활 중 가장 기억에 남는 일은 무엇인지 들려주세요.

접촉을 최소화하기 위해서 수업 시간과 쉬는 시간을 학년별로 다르게 운영했던 점, 체육 시간에 상호 접촉을 최소화하기 위해서 개인 연습 활동 위주로 교육과정 재구성을 했던 점, 급식실에 칸막이를 설치하고 한 칸씩 띄어 앉으며 대화 없이 식사했던 점, 학생들이 밀접 접촉자로 분류되어 수업 도중에 하교해야 했던 점도 기억에 남지만, 그중에서도 학생들에게 체험학습(소풍) 기회를 제공하지 못한 점이 가장 안타까운 기억으로 남을 것 같습니다.

5. 거리두기 기간이 길어지면서 학교생활을 즐기지 못하고,

학업도 부진한 코로나 키즈들이 어떻게 하면 부족함을 채워서 몸도 마음도 잘 성장할 수 있을까요?

온라인 수업을 통해서는 자기 주도적 학습이 가능하다고 생각해요. 스스로 듣고 아는 부분은 복습하고 모르는 부분은 반복해 들으면서 자신을 성장시킬 수 있다고 생각하고요. 또한 그동안 코로나로 인하여 모둠활동에 제약이 있었는데, 최근에는 거리두기 제한이 풀리면서 모둠활동이나 전체활동을 할 수 있게 되었으니 그동안 부족했던 사회적 상호작용의 기회가 점점 더 많이 주어질 것으로 기대합니다.

6. 코로나19 기간 학생들에게 가장 감동했을 때와 가장 실망했을 때는 언제였습니까?

가장 감동했을 때는 스승의 날 때 코로나 시국으로 조용히 지나가려 했는데 학생들이 점심시간을 이용하여 칠판이나 종이에 글을 써주는 이벤트를 해주었을 때이며, 가장 실망했을 때는 학기 초에 정했던 학급 약속을 지키지 않았을 때입니다.

7. 코로나가 완전히 끝나면 학생들과 가장 하고 싶은 게 있다면 무엇인가요?

마스크 벗고 학생들과 과자 파티하거나 단체로 짜장면이나 짬뽕을 곱빼기로 먹고 싶네요. 학생들의 웃는 모습을 사진으로 담고 싶기도 합니다. 지난 3년간 학생들이 마스크를 쓰고 생활해서 졸업 후 마스크 벗은 학생들의 모습을 못 알아볼까 봐 살짝 걱정되기도 합니다.

8. 지금 선생님께서 가장 바라는 것은 무엇인가요?

코로나 시대에 건강하게 생존하는 것이겠죠. 전 인류가 지혜를 모아 코로나를 극복하고 더 나아가 우리가 자연에 실수한 것은 없는지 등에 대해서도 성찰하여 개인의 건강을 넘어 지구적 건강에 대해서도 같이 생각해 보았으면 좋겠습니다. 빨리 마음껏 세계 여행을 떠나고 싶어요.

9. 인터뷰어와 이 책을 읽을 학생들에게 해주고 싶은 말은 무엇인가요?

역사에서 우리는 이 어려운 시국의 해법을 찾을 수 있을 것 같습니다. 인류가 수많은 질병과 싸워 이겨냈듯이, 선조들이 수많은 어려움을 온몸으로 겪으며 극복했듯이 코로나도 이겨내리라 믿어 의심치 않습니다. 삶은 선택의 연속입니다. 희망을 품고 위기를 기회로 삼았으면 좋겠습니다.
그리고 마스크를 벗을 수 있는 날이 오면 선생님을 찾아와 주세요. 짜장면 한 그릇 쏘겠습니다.

..............................힘내세요!!!

오늘 아침에 눈을 떠보니 뭔가 안 좋은 날이 될 것 같았다. 학교에 도착했을 때쯤, 마스크 때문인지 심한 두통을 느꼈다.

보통 나는 학생들이 에너지를 발산시킬 수 있는 활동이나 운동을 같이하는 걸 좋아한다. 하지만 불행하게도, 코로나바이러스 확산을 막기 위해 학교에서의 많은 활동이 제한되어 있다. 난 학생들과 파티도 하고 싶고 운동장을 뛰어놀고 싶지만, 우리에겐 간단한 과자 파티조차 허락되지 않는다.

올해 우리 반에는 26명의 학생이 있지만, 우리는 마스크 없이 서로를 본 적이 없다. 어쩌면 마스크를 쓰지 않고는 아무도 알아볼 수 없을 것 같다.

1교시는 수학 시간이다. 우리는 40분 동안 수업하고 쉬는 시간을 가졌다. 이른 시간이었지만 40분 동안 마스크를 낀 채 말하고 숨 쉬느라 이미 지쳐 있었다. 사실 컨디션이 최상일 때도 아이들을 가르치는 일은 어려움이 따를 때가 많다. 다음 시간은 체육 시간이었다. 지난 2년 동안 체육을 가르쳤지만, 우리가 할 수 있는 일이 많지 않았다. 피구, 발야구, 농구 모두 허용되지 않았다. 코로나19가 발생한 지 2년이 넘었다. 이제 규칙은 완화되었지만, 여전히 바이러스는 남아있고, 계속해서 누군가에게 전염되고 있다. 그래도 우리는 탁구, 배구, 배드민턴과 같은 활동들을 예전보다 더 많이 할 수 있게 되었다.

3교시는 사회, 4교시는 과학, 그리고 점심시간이었다. 우리는 코로나19 바이러스의 확산을 막기 위해 투명한 칸막이를 급식실에 설치했다. 내가 마스크를 벗을 수 있는 유일한 시간이었다. 점심시간 50분, 5교시 10분, 쉬는 시간 10분, 6교시, 드디어 학교가 끝났다! 남은 일은 서류 작업을 끝내고 집으로 돌아가는 것뿐이었다.

하지만, 내가 아이들 시험지 채점을 막 끝냈을 때, 교장 선생님께서 내 사무실로 걸어 들어오셨다. 내 학생 중 한 명이 코로나에 걸렸다고 하셨다. 서류 작업을 좀 더 해야 할 것 같다. 언젠가 코로나19가 끝나고 모두가 자유로워졌으면 좋겠다.

*이 이야기는 코로나 이후의 변해버린 선생님의 하루를 상상해서 쓴 글입니다. 허구로 지어낸 이야기임을 밝힙니다.

열다섯 번째 인터뷰이

안녕하세요.

저는 이화영입니다.

한국 나이로 50세이며,

대학병원 정신건강의학과에 근무하는

정신건강의학과 전문의입니다.

병원에서는 우울증, 치매 관련하여 진료하고 있으며,

대외적으로는 〈한국자살예방협회〉 사무총장으로서

자살 예방 관련 활동을 하고 있습니다.

사회적 거리두기

1. 코로나 하면 가장 먼저 떠오르는 단어는 무엇인가요? 그 이유는 무엇인가요?

<사회적 거리두기>입니다. 전 세계를 강타한 코로나19로 인해 전 세계인이 힘들었는데요. 감염병으로도 힘들었지만, 감염병 확산을 막기 위해 실시했던 사회적 거리두기로 더욱 힘들었습니다. 친구를 만나서 놀지도 못하고, 명절 때 할아버지, 할머니를 만나러 가기도 힘들었죠. 그러다 보니 사회적 거리두기가 떠오릅니다.

2. 코로나19가 처음 유행하였을 때 TV에서 매시간 방송되어 불안하고 무서웠어요. 감염병이 발생했을 때 어떻게 하면 무섭지 않을까요?

감염병에 대하여 알려진 것이 많지 않아서 불안하고, 호기심이 있기 때문에 온종일 TV를 보는 사람들이 많았어요. 그러다 보니 코로나19에 과다 노출되면서 더 불안해졌죠. 이럴 때는 일정 시간을 정해두고 TV를 시청하면서 정확한 정보를 얻는 게 중요해요. 알려진 정보가 많지 않을 때 가짜 뉴스가 많아서 더 불안해지는 경우가 많아서 정확한 정보를 선별하는 것도 중요합니다.

3. 코로나 백신 맞을 때 의사 선생님들도 무서웠나요?

백신의 부작용이 정확하게 알려지지 않은 상태에서 긴급 승인된 면이 있었어요. 그렇지만 의료에서는 위해와 이득을 따지게 됩니다. 백신을 맞았을 때 위해보다는 이득이 많다고 생각되어 백신을 맞는 의료인들이 많았어요. 백신 부작용이 잘 알려지지 않은 상태에서 예방 접종을 시작했기 때문에 부작용이 있었던 사람들에게 보상이 제대로 이루어지지 않았는데, 앞으로라도 제대로 된 보상이 이루어지면 좋겠어요.

4. 사회적 거리두기를 하느라 친구들을 못 만나서 힘들었어요. 어떻게 하면 잘 극복할 수 있을까요?

규칙적인 생활을 하는 게 중요해요. 일찍 자고 일찍 일어나고 건강한 식사를 유지하는 게 중요합니다. 또, 좋아하는 활동을 유지해야 합니다. 만약 운동을 좋아한다면, 운동을 매일 꾸준히 하는 게 좋겠죠. 마지막으로 힘든 일이 있을 때 어른들에게 자세하게 얘기하고 도움을 구하는 것도 중요합니다.

5. 앞으로 코로나19와 같은 전 세계적으로 유행하는 감염병이 또 발생할 수 있을까요?

아주 오래전에는 페스트가 유럽에서 유행해서 많은 사람이 사망했다고 하죠. 최근에는 사스, 메르스 등 여러 감염병이 있었고, 2019년 말에 코로나19가 시작되었죠.
또 다른 감염병이 또 발생할 수 있겠지만 여러 차례 감염병을 경험하면서 우리에게도 다양한 지식이 쌓였기 때문에 새로운 감염병이 유행한다고 해도 슬기롭게 이겨나갈 수 있다고 생각해요.

6. 의사로서 코로나19로 인해 가장 힘들었던 점은 무엇인가요? 그리고 그것을 어떻게 극복하셨나요?

코로나19의 예방에 가장 중요한 것이 마스크였죠. 진료실에서도 마스크를 쓰는 것이 중요했는데 마스크를 쓰는 것이 아주 답답했어요. 또 저도 마스크를 쓰고 환자분도 마스크를 쓰다 보니 발음이 부정확해서 의사소통하는 게 많이 힘들었어요. 창문을 열어놓기도 하고 말을 좀 더 크게 하기도 하고, 어려움이 있지만 되도록 밝은 표정으로 진료를 하려고 노력했어요.

7. 코로나19로 인해 우울증이 있는 환자들을 상담하실 때 어떤 이야기들을 많이 해주시나요?

규칙적인 생활을 하도록 권유하고, 사회적 활동을 잘 유지하도록 강조합니다. 어려운 때일수록 누군가와 얘기를 나누고 기분을 환기하는게 중요하거든요. 또한 운동 등 신체적 활동을 포함한 취미활동을 유지하는 것이 중요하다고 설명도 합니다. 우리 마음과 몸은 연결되어 있기 때문에 우울증 때 마음과 몸을 같이 움직이게 하는 게 중요하거든요.

8. 거리두기가 완화된 지금 다시 코로나 확진자 수가 늘어나고 있는데, 다시 심각해질까 걱정돼요. 이럴 때는 어떻게 대처하는 것이 좋을까요?

감염예방 수칙을 잘 지키는 게 중요하겠죠. 손을 항상 소독하거나 깨끗이 씻고, 마스크를 잘 쓰는 등 매일매일 우리가 실천할 수 있는 감염예방 활동을 잘 지키는 겁니다. 또한 확진자 숫자가 늘어난다고 하지만 코로나19의 치명률이 독감 수준으로 떨어졌기 때문에 코로나19를 두려워할 필요는 없다고 봅니다.

9. 의사로서 지금 가장 바라는 것이 있다면 무엇인가요?

코로나19가 얼른 끝나서 학생들이 학교생활도 자유롭게 하고, 하고 싶은 활동도 즐겁게 할 수 있었으면 좋겠어요. 그래서 많은 사람이 행복하게 지내면 좋겠어요. 또한 마스크를 벗고 활동하는 날이 왔으면 좋겠어요.

10. 인터뷰이 채빈과 이 책을 읽는 학생들에게 해주고 싶은 말은 무엇인가요?

무엇보다도 학교생활을 즐겁게 했으면 좋겠어요. 공부도 열심히 하고 특히 건강하게 잘 뛰어놀기를 바라요. 대부분의 일들이 마음먹은 대로 흘러가기 때문에 긍정적으로 생각하고 매사에 적극적으로 참여하면 즐거운 생활을 할 수 있을 거로 생각해요.

..............................힘내세요!!!

Hey

내 이름은 이화영

내 직업은 정신건강의학과 의사

코로나 때문에 마스크 쓰는 시간이 늘었고

코로나 때문에 상담받는 환자들이 늘었지

그래도 난

웃는 얼굴!

환한 얼굴로 환자를 안심시키려 했지!

Hey

사회적 거리두기

친구 만나는 시간이 줄었고

운동하는 시간이 줄었지

그래도 난

포기하지 않고 희망을 지키는 전사

Hey
처음엔 의사인 나도
코로나가 무서웠고
백신도 두려웠지

그래도 난
모두를 위한 선택
방역 수칙 지킴이
환자들의 마음 건강 지킴이

그리고 우린 코로나에게 말하지!

니가 아무리 우리에게 마스크를 씌운다고 해도
니가 아무리 우리를 아프게 한다고 해도

No way!
Together we fight back!

the Writer's words

<김도현>

내가 과연 책을 쓸 수 있을까?
이 책을 쓰기 전까지만 해도 그저 아이디어나 만드는 기술만 있으면 책을 쉽게 만들 수 있을 거로 생각했어요. 하지만 직접 책을 만들어 보니 정성도 많이 들고, 생각보다 단계도 무척 많다는 것을 알게 됐어요.

내가 인터뷰어가 되어 인터뷰하는 책을 만들게 되었을 때 가장 걱정이 되었던 부분은 내가 인터뷰를 부탁드릴 때 <거절하시면 어떡하지?> 하는 마음이었어요. 그 이유로 엄청나게 긴장되었죠. 다행히 인터뷰를 제안한 두 분 모두 흔쾌히 수락해 주셨어요. 정말 진심으로 감사드립니다! 답변도 너무 잘 써 주셔서 기분이 좋았답니다.

나의 첫 번째 책이자 나를 작가로 만들어 준 이 책은 나에게 정말 특별해요. 왜냐하면 나와 같이 책을 쓴 친구, 누나들이 다 함께 노력했기 때문이에요. 이 책 속 코로나의 전사들처럼 말이죠! 만드는 과정은 힘들었지만, 열심히 만들어서 책이 나오니 참 뿌듯합니다.

공교롭게도 나는 책을 쓰면서 코로나 확진 판정을 받아서 마무리하는 데 조금 힘이 들었어요. 하지만, 나는 이 책을 계기로 글을 자주 쓰게 됐고, 책도 더 많이 보게 됐어요. 그리고 메모도 많이 하고 있죠. 이제 앞으로는 유명한 글도 보고 필사도 시간 될 때마다 해 볼 예정입니다. 나중에 쓸 다른 책의 초안도 시간을 내서 계속 꾸준히 쓰고 있어요. 나는 열심히 노력해서 나의 꿈인 베스트셀러 작가가 될 거예요!

모두 열심히 코로나를 극복하고 이겨나가 봅시다!
아자아자 화이팅!

그리고 지금 이 책을 읽고 계신 모든 분께도 너무 감사드립니다.

〈이솔〉

처음에는 생각해서 글만 쓰고, 그림 그리고, 인쇄만 하면 책이 금방 만들어지는 줄 알았어요. 하지만 이번 책을 계기로 많은 것을 알게 되었고 저의 불확실했던 취미 생활을 확실하게 만들게 되었습니다.

이 책을 만들 때는 정말 재밌었지만, 힘들었던 일들도 너무 많았어요. 하지만 힘들 때는 책 만들기를 함께 해주신 선생님과 그리고 이 책의 다른 작가들인 친구들과 언니들, 특히 부모님의 도움 덕분에 이겨낼 수 있었어요. 그리고 답장이 너무 오지 않아서 걱정되었을 때는 부모님과 동생, 친척분들께서도 많은 응원을 해주셨어요.

이번 책을 계기로 코로나와 싸우신 영운들께 감사하다는 마음도 더 커졌고요. 거의 모든 사람이 <코로나가 없어졌으면 좋겠다.> 또는 <마스크는 언제 벗을 수 있을까?>라는 생각을 할 것 같아요. 그래도 우리 모두 지금까지 잘 견뎌 왔습니다. 그래서 우리가 이런 책을 만들게 되었죠. 갑작스러운 인터뷰에도 빠른 답을 해주신 인터뷰이 분들께 감사한 마음이에요.

이 책을 만들면서 큰 교훈도 얻었고, 친구도 많이 생겨서 이 책을 만들길 잘했다는 생각이 계속 들어요. 그리고 이 책을 여기까지 봐주신 독자분들이 이 책을 좋게 봐주시면 좋겠어요. 하지만 그렇지 않더라도 이 책을 만들 때의 제 노력이 충분히 드러난 것 같아 기분이 좋은 건 마찬가지일 것 같아요.

마지막으로 부모님과 선생님 그리고 인터뷰이분들, 또 독자들께 감사하다는 마음을 표시하고 제 작가 후기를 마칩니다.

<김조이>

저는 항상 어렸을 때부터 책을 만들고 싶다는 생각을 참 많이 했어요. 하지만 이번에 작가 된 이후로 책을 만드는 건 결코 쉬운 일이 아니구나 라고 생각했습니다.

책을 쓰고 난 뒤 저는 너무 뿌듯했습니다. 여러분들과의 궁금증을 해결할 수 있는 책이라 더 좋아요. 이 책을 쓰며 지치고 힘들었지만, 여러분들이 재밌게 보시는 상상만 해도 행복합니다.

처음에는 누가 나의 질문을 받아서 인터뷰해줄까 많은 고민이 있었어요. 제가 질문을 해도 안 받아주시는 분들도 산더미였죠. 하지만 피아니트스 양재웅 님, 바리톤 박경준 님, 간호사 장수정 님, 이 세 분은 바쁘신 상황에서도 정성껏 답해주셔서 정말 고마웠어요.

가끔 독자분들이 내가 쓴 글을 읽어줄까? 라는 생각도 많이 했어요. 그런 생각이 들 때마다 항상 떠올렸습니다. 내가 책을 쓴만큼의 열정은 독자분들께 돌아온다고요. 그만큼 열심히 썼으니까요.

이 책을 위해 끈기 있게 포기하지 않고 답해주신 분들 모두에게 감사합니다!

<유채원>

처음에는 내가 직접 이야기를 생각해서 쓰는 책만 있는 줄 알았는데, 이런 인터뷰를 해서 만드는 책도 있다는 것을 알았어요.

인터뷰해서 만드는 책이라 질문을 만들 때는 조금 힘들었고, 답변이 안 왔을 때는 <이게 뭔 일이야?! 빨리 답변이 와야 하는데.>하면서 계속 걱정했죠. 이렇게 힘든 점도 있었지만, 좋은 점도 있었어요. 나와 친한 친구와 해서 재밌었고, 내가 좋아하는 글을 이렇게 쓰면서 잡생각을 하지 않게 되었어요. 그리고 취미생활이 생긴 것 같은 생각이 들었어요. 저는 아직 <내 취미 생활은 이거야!>라고 말할 만큼 어떤 것을 주기적으로 꾸준히 하는 게 없거든요. 그러나 이 책을 계기로 심심할 때 조금씩은 끄적일 수 있을 만큼 글쓰기에 흥미가 생겼어요.

이 책이 출판되고 유명해졌으면 좋겠어요. 하지만 유명해지지 않더라도 한 명이라도 감동하였으면 좋겠어요. 작가들이 인터뷰를 한 사람들은 다 다르지만, 코로나가 빨리 끝나면 하는 마음과 전처럼 마스크를 벗고 생활하고 싶다는 마음은 다 같을 거예요. 저 또한 코로나 시대를 사는 학생으로서 그런 생각을 항상 합니다. 코로나로 힘들어도 자기의 일을 열심히 희망의 끈을 놓지 않았던 사람들을 보고 감동한 사람이 적어도 한 명이라도 있길 바랍니다. 설령 코로나가 끝나고 이 책을 읽은 사람이라도 <아, 이 사람들은 이렇게 힘든 시기에도 긍정적으로 생각하고 열심히 살았구나.>라는 생각을 할 수 있게 만드는 책이 되었으면 좋겠어요.

이 책을 만들기로 기획하신 선생님, 저와 함께 책을 같이 쓴 다른 친구들, 그리고 인터뷰이들께도 모두 감사합니다.

<고은성>

저는 처음 책을 만든다고 할 때 글만 잘 쓰면 책이 잘 나오는 것인 줄 알았어요. 하지만 직접 체험해보니까 아이디어를 내고, 제목을 정하는 일 등 할 것이 많더라고요.

그리고 이 책은 인터뷰집이어서 인터뷰 답변이 와야 책을 완성할 수 있는데, 다들 바쁘신 분이어서 답변을 받을 수 있을지 걱정되었어요. 모두 열심히 답해주셔서 정말 다행이고, 감사한 마음이에요. 최대한 열심히 했지만 <더 잘할 수 있었는데.>하는 아쉬운 마음이 들었어요. 하지만 제가 작가가 되어서 책을 출판하는 것이 기분이 좋았어요.

저는 평소에 책을 많이 읽지는 않아서 책을 만드는 것에는 관심이 없었는데, 이번에 책을 만들면서 책에 대한 관심이 생겼어요!

나중에 이 책이 여러 사람에게 알려져서 유명한 책이 되었으면 좋겠고, 이런 활동을 할 수 있게 도와주신 모든 분께 감사한 마음을 전합니다.

모두 감사합니다. 재미있게 읽어주세요!!

<이채빈>

이 책을 쓰면서 새로운 경험을 하게 되었어요. 내가 작가가 될 수 있다는 생각은 꿈에도 해본 적이 없었는데, 친구들과 서로 모여서 책을 만드는 과정은 신기하고 재미있었어요.

책을 쓰기 전에는 내가 과연 잘 해낼 수 있을지 걱정이 앞섰지만, 한 주, 두 주 지나며 점점 발전하는 나 자신을 보며 자신감도 들고, 글 쓰는 재미도 알게 되고, 나의 부족한 점도 알 수 있어서 값진 경험을 하게 된 것 같아요.

내가 좋아하는 책인 <해리포터>의 작가 조앤 롤링이 우연히 기차가 시골 한복판에서 멈춰 4시간이나 연착되는 바람에 상상의 나래를 펴며 해리포터 이야기를 만들어 냈듯이 나도 언젠가는 내가 상상하는 이야기로 글을 써서 재밌는 이야기를 만들어 내고 싶습니다.

고쌤과 함께하는 신나는 책 만들기

아래 해당하는 청소년들은

고집북스로 연락해주세요!

-나도 글은 좀 쓰는데 라고 생각하는 사람

-10대에 출간작가가 되고 싶은 사람

-그림책을 만들어보고 싶은 사람

-책 만드는 과정을 배우고 싶은 사람

-글을 잘 써보고 싶은 사람

-독립출판에 대해 자세히 알고 싶은 사람

"Zoom 수업으로 5개월 만에 나만의 책 출간하기"

첫째 달: 목차 정하고, 글쓰기

둘째 달: 계속 쓰기

셋째 달: 인디자인 배우기(편집)

넷째 달: 교정, 교열 배우기

다섯째 달: 독립출판으로 출간하기